만성비부비동염 업데이트

2nd Edition (2022)

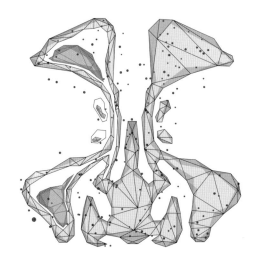

CHRONIC RHINOSINUSITIS UPDATE

대한비과학회
Korean Rhinologic Society

인사말

대한비과학회 회원 여러분.

2005년 7월 첫 발간된 '비부비동염 치료 가이드라인'이 비과뿐 아니라 비부비동염을 다루는 다양한 분야의 의료인들에게도 진료 지침서로 활용되어 왔으리라 생각합니다.

하지만 첫 가이드라인이 제작된 지 오랜 시간이 경과하였으며, 그 사이 만성 비부비동염 관련 병태생리와 치료 등에 많은 발전이 있어 본 학회에서도 가이드라인 개정의 필요성을 인지하고 '만성 비부비동염 업데이트'를 발간하게 되었습니다.

만성 비부비동염은 가장 흔한 만성 질환 중 하나로 사회경제적 부담이 지속적으로 증가하고 있습니다. 최근 만성 비부비동염을 표현형과 내재형에 따라 분류하고 있으며, 이에 따라 환자 맞춤치료에 대한 개념이 도입되고 있습니다. 국내 만성 비부비동염은 서양뿐 아니라 타 아시아 지역과도 다른 병태생리학적 특징을 가지고 있음이 밝혀지고 있으며, 만성 비부비동염의 특성 또한 변화하고 있습니다. 이번 '만성 비부비동염 업데이트'는 만성 비부비동염 관련 분류, 역학, 치료, 수술과 관련된 기존 지식뿐 아니라 생물학적 제제와 난치성 비부비동염의 치료와 같은 최신의 정보를 편리하게 진료 현장에서 적용할 수 있도록 알기 쉽게 내용을 구성, 정리하였습니다.

대한비과학회는 회원 여러분들께 비과학 분야에 대한 다양한 정보와 최신 지견을 제공하기 위해 최선을 다해 왔습니다. 이번 업데이트의 출판은 본 학회의 '부비동염 및 비용 연구회'가 중심이 되어 진료현장에서 필요로 하는 최신 정보와 치료 지침을 여러 회원님들께서 제공하고자 하는 노력의 결실입니다.

이번 만성 비부비동염 업데이트의 제작, 감수 및 출판에 참여해 주신 여러 선생님들의 헌신적인 노고에 진심으로 감사드리며, 이번 업데이트가 회원 여러분들의 진료에 많은 도움이 될 수 있기를 바랍니다.

2022년 7월
대한비과학회 회장 **신 승 헌**

CONTENTS

Ⅰ. 만성 비부비동염의 정의 및 분류 ————————

1. 정의   9
2. 분류   12

Ⅱ. 만성 비부비동염의 역학 및 진단 ————————

1. 만성 비부비동염의 역학   21
2. 만성 비부비동염의 진단   22

Ⅲ. 만성 비부비동염의 병태생리 ————————

1. 서론   35
2. Type 2 CRS   36
3. Non-type 2 CRS   41
4. Fibrin 침착(deposition)   45

Ⅳ. 만성 비부비동염의 약물치료 ————————

4-1. 항생제   52

1. 단기간 경구 항생제 요법   52
2. 장기간 경구 항생제 요법   56
3. 국소 항생제 요법   61
4. 주사 항생제 요법   62

4-2. 스테로이드   67

1. 국소용 스테로이드제   68
2. 경구 스테로이드제   69
3. 비강 스테로이드 세척(corticosteroid irrigation)   71
4. 스테로이드 용출 임플란트(corticosteroid-eluting implants)   71

4-3. 항히스타민제, 점막수축제, 류코트리엔 길항제   75

1. 항히스타민제   76

2. 점막수축제(항울혈제)   77

3. 류코트리엔 길항제   78

4-4. 생리식염수 코세척   82

1. 개요   83

2. 생리식염수 세척   83

3. 기타 세척 용액   85

4. 세척 용액 및 장비의 준비   88

5. 소독   89

4-5. 생물학적 제제   96

1. 생물학적 제제의 필요성   97

2. 조절되지 않는 중증 비용종을 동반한 만성 비부비동염   98
   (uncontrolled severe CRSwNP)

3. 생물학적 제제의 작용기전과 허가(approval) 현황   98

4. 적응증과 효과판정   101

5. 생물학적 제제별 특성과 권고수준(recommendation level)   102

6. 생물학적 제제의 비교   107

7. 생물학적 제제의 국내 현황   108

8. 생물학적 제제의 현재와 미래   110

V. 만성 비부비동염의 수술 치료 ————

5-1. 부비동 내시경 수술   118

1. 수술 적응증   119

2. 수술 전 영상검사와 수술용 영상 유도 항법장치의 유용성   120

3. 수술 전 약물치료   121

4. 성공적 수술 결과의 예측   122

5. 수술 시기의 결정   122

6. 내시경 부비동 수술 술기   123

7. 부비동 수술의 범위   130

5-2. 재수술   137

1. 재수술의 원인   138

2. 재수술의 목표   140

3. 재수술의 시점   141

4. 재수술 전 평가   141

5. 재수술의 범위와 결과   142

6. 수술 후 관리   145

7. 결론   147

5-3. 수술 전/후 관리 및 약물치료   151

1. 내시경 부비동 수술의 수술 전 관리   152

2. 부비동 수술 후 처치   154

VI. 난치성 만성 비부비동염 환자의 치료

1. 난치성 만성 비부비동염의 정의   171

2. 난치성 만성 비부비동염 치료 방침과 생산성 비용   172

3. 병인   173

4. 치료   177

I

만성 비부비동염의
정의 및 분류

I

만성 비부비동염의 정의 및 분류

김성완, 민진영

Graphic abstract

Clinical Definition
- 2 CRS symptoms ≥ 12 weeks
  One of which should be nasal obstruction and/or purulent discharge
- ± facial pain/pressure
- ± reduction or loss of smell

AND either
- Endoscopic signs of
  - nasal polyps
  - mucopurulent discharge from middle meatus
  - edema/mucosal obstruction in middle meatus
- CT changes
  - mucosal changes within OMU and/or sinuses

Adult Chronic Rhinosinusitis (CRS)

Classification of CRS

Identifiable etiology	Anatomical distribution	Endotype dominance	Examples of phenotypes

Primary CRS

- Localized (unilateral)
  - Type 2 → Allergic fungal rhinosinusitis
  - Non-Type 2 → Isolated sinusitis
- Diffuse (bilateral)
  - Type 2 → CRSwNP/eosinophilic CRS / Allergic fungal rhinosinusitis / Central compartment allergic disease
  - Non-Type 2 → Non-eosinophilic CRS

Secondary CRS

- Localized (unilateral)
  - Local pathology → Odontogenic sinusitis / Fungal ball / Tumor
- Diffuse (bilateral)
  - Mechanical → Primary ciliary dyskinesia / Cystic Fibrosis
  - Inflammatory → Wegener's disease / Churg-Strauss disease
  - Immunity → Selective immunodeficiency

1. 정의

1) 비부비동염

비부비동염(rhinosinusitis)은 비강과 부비동 점막의 염증성 질환을 통칭하는 것으로, 부비동염(sinusitis)과 비염(rhinitis)이 같이 생기는 경우가 흔하고 병태생리적으로 비강과 부비동의 병변을 명확히 구별하기 어렵기 때문에 1990년대 초부터 지금까지 국제적으로 통용되고 있는 개념이다. 비부비동염에 대한 정의, 분류, 병인, 진단 및 치료 등에 대한 많은 연구가 이어져 오고 있고, 미국 이비인후과 학회(AAO-HNS)와 유럽에서 지속적으로 연구결과들을 토대로 근거 중심 가이드 라인을 발표하고 있으며 2020년 유럽에서 비부비동염에 대한 포지션 페이퍼[The European Position Paper on Rhinosinusitis and Nasal Polyps (EPOS) 2020]가 발표되었다.

2) 임상적 정의

비부비동염은 이환 기간에 따라 급성(acute rhinosinusitis, ARS), 아급성(subacute rhinosinusitis), 만성 비부비동염(chronic rhinosinusitis, CRS)으로 나눈다.

성인의 CRS(비용종 동반 여부와 상관없이)는 특징적인 임상 증상들이 완전히 치료되지 않고 12주 이상 지속되면서 비부비동염을 시사하는 객관적인 검사 소견이 확인된 경우로 정의된다(표 1-1). 코막힘(nasal blockage/obstruction/congestion), 화농성 비루/후비루(anterior/posterior nasal drip), 안면부 통증/압박감(facial pain/pressure), 그리고 후각 저하 혹은 소실(reduction or loss of sense of smell)이 CRS를 시사하는 특징적인 임상 증상이며, 이 4가지 증상 중 2가지 이상이 존재하고, 코막힘과 화농성 비루 중 최소 한 가지는 반드시 있어야 CRS의 진단 기준에 부합하게 된다.

표 1-1. 성인 만성 비부비동염의 진단 기준(EPOS 2020)

기간	12주 이상
증상	필수 증상 1개 포함하여 최소 2개 이상의 증상 동반
	(필수 증상) · 코막힘(nasal blockage/obstruction/congestion) · 화농성 비루(anterior/posterior nasal drip)
	(기타 증상) · 안면부 통증/압박감(facial pain/pressure) · 후각 저하 혹은 소실(reduction or loss of sense of smell)
객관적 소견	비내시경 검사 혹은 컴퓨터 단층촬영에서 확인된 최소 1개 이상의 소견
	(비내시경 검사, nasal endoscopy) · 비용종(nasal polyps) · 중비도의 화농성 비루(mucopurulent discharge primarily from middle meatus) · 중비도의 부종 혹은 점막 폐쇄(edema/mucosal obstruction primarily in middle meatus)
	(컴퓨터 단층촬영, computed tomography) · 부비동 내 혹은 개구비도 단위의 점막 변화(mucosal changes within the ostiomeatal complex and/or sinuses) 단, 개구부 주변을 제외한 1-2개의 부비동의 경한 점막 부종만 관찰된 경우 비부비동염을 시사하는 소견이 아닐 가능성이 있음(minimal thickening, involving only 1 or 2 walls and not the ostial area is unlikely to represent rhinosinusitis)

이런 임상 증상들은 비부비동염의 매우 중요한 진단 기준으로 민감도가 높지만, 특이도가 낮기 때문에 정확한 진단을 위해서는 객관적인 검사 소견이 필요하다. 하지만, 역학 연구나 1차 진료와 같이 객관적인 검사가 현실적으로 불가능한 경우에는 임상 증상만으로 CRS를 정의할 수 있다고 한다. 또, 비부비동염에 부합하는 임상 증상 없이 영상검사에서 이상 소견이 관찰되는 경우도 많기 때문에 정확한 비부비동염의 진단을 위해서는 증상의 확인과 객관적인 검사가 모두 필요하다. 객관적 검사로 비내시경 검사(nasal endoscopy) 또는 컴퓨터 단층촬영(computed tomography, CT)이 유용하며, 내시경 검사에서 비용종(nasal polyps), 중비도의 화농성 비루(mucopurulent discharge primarily from middle meatus), 중비도의 부종 혹은 점막 폐쇄(edema/mucosal obstruction primarily in middle meatus)의 소견이나 CT에서 부비동 내 혹은 개구비도 단위의 점막 변화(mucosal changes within the ostiomeatal complex and/or sinuses) 소견 중 최소 한 가지가 있는 경우 CRS로 진단할

수 있다. 단, CT에서 개구부 주변을 제외한 1-2개 부비동의 경한 점막 부종만 관찰된 경우 비부비동염을 시사하는 소견이 아닐 가능성이 있다. 그리고 수술 치료를 받은 환자는 정상 해부학적 구조물들이 제거된 경우가 많으며, 이 경우 수술 후 6개월 이상 경과한 시점에 비내시경 검사에서 유경성 병변(pedunculated lesion)이 관찰되는 경우 비용종으로 정의하며, 포석상 점막(cobblestoned mucosa)은 비용종으로 정의되지 않는다.

증상이 12주 이내인 경우는 급성 비부비동염에 해당되며, 이를 좀 더 세분화하여 4주 이내인 경우 급성, 4-12주인 경우 아급성으로 정의하기도 하지만, 실제 임상에서 아급성 비부비동염 환자들은 급성 혹은 만성 비부비동염에 준해서 환자 개개인에 맞추어 치료하도록 권고되고 있다. 추가적으로, 급성 비부비동염은 급성 바이러스성 비부비동염(acute viral rhinosinusitis, common cold: 증상이 10일 미만으로 지속되는 경우) 또는 급성 세균성 비부비동염[acute bacterial rhinosinusitis: 누런 콧물, 통증, 발열(38도 이상), CRP/ESR 증가, 증상/징후가 호전되다가 다시 악화되는 경과의 5가지 증상/징후들 중 최소 3가지 이상이 동반된 경우]로 분류된다.

미국 이비인후과학회에서 발표한 2015년 임상 진료 가이드라인(Clinical Practice Guideline: Adult Sinusitis) 및 2021년 International Consensus Statement on Allergy and Rhinology (ICAR-RS)에서도 성인 CRS 정의는 큰 차이가 없으며, 위에서 언급한 4가지 증상 중 2개 이상의 징후나 증상이 12주 이상 지속되면서 1개 이상의 객관적으로 확인된 염증(중비도나 전사골동으로부터의 화농성 비루나 부종, 비강 혹은 중비도의 비용종, 영상검사에서 확인된 부비동 염증)이 있는 경우로 정의하였다.

CRS의 급성 악화(acute exacerbation)는 항생제 혹은 경구 스테로이드제를 포함한 적절한 치료 후에도 완전히 없어지지 않고 기저 비부비동염 증상들이 남아 있는 상태에서 CRS의 증상 정도가 급성으로 악화된 경우로 정의된다.

재발성 급성 비부비동염(recurrent acute rhinosinusitis)은 급성 세균성 비부비동염(acute bacterial rhinosinusitis)이 연 4회 이상 반복되고 각각의 이벤트 사이에 증상 및 징후가 없는 시기가 존재하는 경우로 정의한다.

난치성 비부비동염(difficult-to-treat rhinosinusitis)은 약물치료(비강 내 스테로이드, 1년에 2번 이내의 단기 항생제 혹은 경구 스테로이드제 치료) 혹은 수술적 치료 등의 적절한 치료에도 불구하고 CRS의 증상이 호전되지 않고 지속되는 경우로 정의한다.

2. 분류

1) 표현형(phenotype)에 따른 분류

표현형은 임상 양상에 근거한 분류법이다. 가장 보편적으로 통용되는 표현형에 따른 분류법은 비용종 동반 유무에 따른 분류로 비용종을 동반된 만성 비부비동염(CRS with nasal polyps, CRSwNP), 비용종을 동반하지 않은 만성 비부비동염(CRS without nasal polyps, CRSsNP)이다. 이 밖에도 동반되는 질환 등에 따라서 특징적인 임상 양상과 예후를 보여주는 경우가 있어서, CRS를 더 세분화한 아형으로 분류하고 치료에 적용하기도 한다. 대표적인 예로, 아스피린 악화성 호흡기 질환이 동반된 만성 비부비동염(CRS with aspirin-exacerbated respiratory disease, CRS with AERD), 알레르기성 진균성 비부비동염(allergic fungal rhinosinusitis), 낭포성 섬유증에서의 만성 비부비동염(cystic fibrosis-associated CRS), 자가면역 질환이 동반된 만성 비부비동염(CRS in autoimmune disease), 원발성 섬모운동 이상증과 동반된 만성 비부비동염(CRS in primary ciliary dyskinesia), 면역저하 환자에서의 만성 비부비동염(CRS in immunocompromised patient) 등이 있다. 중심부 질환(central compartment disease)은 폴립 모양의 병변이 중심부 비부비동(중비갑개, 상비갑개, 비중격의 후상부)에 주를 이루는 CRS의 아형을 의미한다[variant of CRS with polypoid changes of the entire central sinonasal compartment while the lateral sinus mucosa remains relatively normal ('black halo'), likely due to allergy]. 이 밖에도 질환의 예후나 치료 결과에 영향을 줄 수 있는 여러 임상 요건들(예, 환자의 나이, 성별, 천식이나 아토피 유무, 흡연, 직업 등)을 군집 기법(clustering method)을 이용하여 세분화한 표현형 아형을 확립하려는 많은 시도들이 있다.

이처럼 CRS는 하나의 단순한 질환이 아닌 다양한 임상 양상과 동반 질환들이 복합된 임상 증후군(clinical syndrome)의 개념으로 간주되어 분류될 수 있다.

2) 내재형(endotype)에 따른 분류

내재형은 CRS의 병태생리적 기전에 기반을 둔 분류법이다. 비점막에서 일어나는 면역반응은 type 1, type 2, type 3 염증 반응으로 나눌 수 있고 이에 관여하는 대표적인 염증매개물질들은 다음과 같으며[type 1: interferon (IFN)-γ, Tumor necrosis factor (TNF)-α; type 2: eosinophil cationic protein (ECP), interleukin (IL)-4, IL-5, IL-13; type 3: IL-17A 등], 이들의 발현 정도에 따라 분류하는 것을 말한다. 현재는 이 중 type 2 염증반응을 기준으로 하는 분류(type 2 vs. non-type 2)가 미국과 유럽을 중심으로 가장 많이 연구되고 있으며 상당한 근거가 마련되어 있다. Type 2 염증반응이 동반된 CRS의 경우 예후가 좋지 않고, 서양의 CRSwNP에서 흔히 보이는 내재형으로 알려져 있다.

CRS의 분류에서 내재형에 따른 분류가 중요하게 여겨지게 된 이유는 다음과 같다. 표현형 분류의 문제점으로 표현형이 다른 경우에도 내재형이 같은 경우가 있어 치료방침에 표현형이 역할을 못한다는 점과 표현형에 따른 획일화된 치료의 적용이 낮은 치료 효과를 보이게 되는 한계점 때문이다. 그러므로, 내재형을 이용한 분류는 CRS의 병태생리에 대한 이해에 도움이 될 뿐만 아니라, 더 나아가 맞춤형 치료의 적용이 가능하게 되어 궁극적으로 더 나은 치료 효과를 얻는 데 도움이 될 것이라 여겨진다.

3) 원발성 만성 비부비동염(primary CRS)과 속발성 만성 비부비동염(secondary CRS)

이 분류는 EPOS 2020에서 새롭게 제안한 분류이다. 기존의 비용종 동반 여부에 따른 분류법인 표현형에 따른 분류와 달리, 내재형의 개념이 분류에 적용되었다는 점이 큰 차이점이다. 원발성 또는 속발성 CRS는 유발하는 원인 유무에 따라 구분된다. 즉, 원발성 CRS는 비점막의 염증반응이 주된 병인이라 생각되는 경우이며, 속발성 CRS의 경우는 국소 병인(예, 치성 병변, 진균구, 종양 등), 비부비동의 염증이 쉽게 발생할 수 있는 기저 질환이나 병인[예, 원발성 섬모운동이상증, 육아종증 다발혈관염(granulomatosis with polyangiitis; Wegener's granulomatosis), 선택적 면역결핍증 등]이 있는 경우이다. 각각은 병변의 해부학적 범위에 따라 국소성(일측성) 혹은 범발성(양측성)으로 분류되고, 이들 각각은 다시 대표적인 내재형인 type 2 염증반응의 정도에 따라 type 2 또는 non-type 2로 나뉘게 된다(그림 1-1).

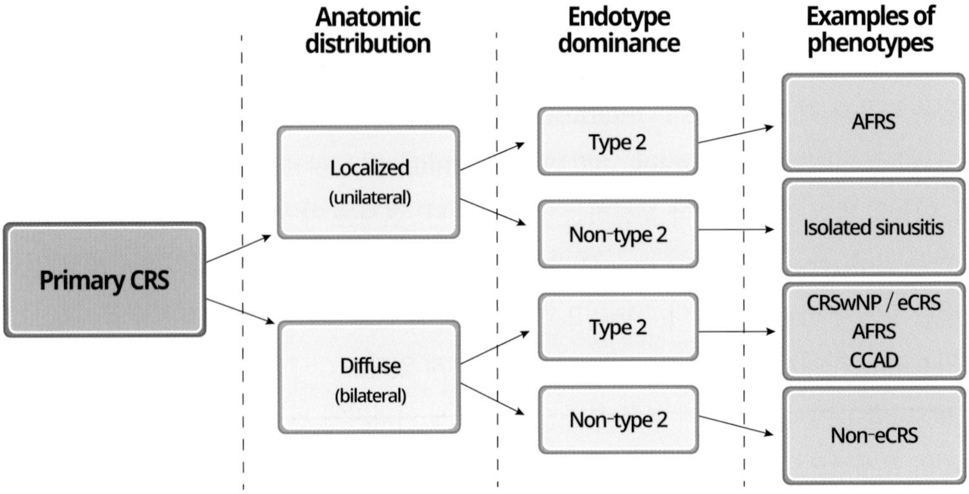

AFRS, allergic fungal rhinosinusitis; CCAD, central compartment allergic disease; CRS, chronic rhinosinusitis; CRSwNP, chronic rhinosinusitis with nasal polyps; eCRS, eosinophilic CRS; OMC, ostiomeatal complex.

그림 1-1. **원발성 만성 비부비동염의 분류(classification of primary CRS)**

(European Position Paper on Rhinosinusitis and nasal polyps 2020. Rhinology; 2020 58: 1-464; Fokkens WJ, Lund VJ, Hopkins C, Hellings P, *et al*.)

임상적으로 국소성 원발성 CRS에 해당하는 표현형의 예로는 알레르기성 진균성 CRS, 한 개의 부비동에 국한된(isolated) CRS가 해당된다. 범발성 원발성 CRS에 해당하는 표현형으로는 type 2 염증 정도에 따라 비호산구성 CRS (non-eosinophilic CRS, non-eCRS)와 호산구성 CRS (eosinophilic CRS, eCRS)로 구별될 수 있다. 이때 진단 기준은 비점막 조직 내 호산구 개수를 이용한 조직학적 진단이 주된 방법으로 받아들여지고 있으며, 현재까지의 연구 결과를 바탕으로, 고배율(high power field, HPF)에서 호산구의 개수가 10개 이상인 경우 eCRS로 받아들여지고 있지만, 이는 서양의 연구 결과들을 바탕으로 한 것이기 때문에 동양의 CRS 환자들에게 적합한 적용 기준이 될지는 추가 연구를 통한 검증이 더 필요할 것으로 생각된다.

속발성 CRS도 원발성과 마찬가지로 병변의 해부학적 범위와 내재형에 따라 분류하게 되며 각각에 속하는 임상적 표현형들로 분류될 수 있다(그림 1-2).

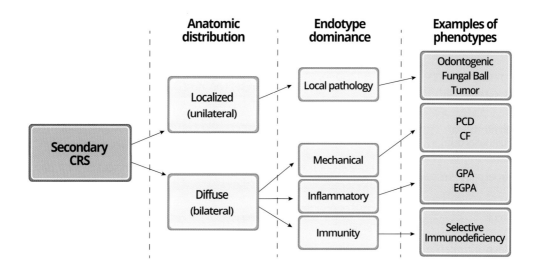

CRS, chronic rhinosinusitis; PCD, primary ciliary dyskinesia.; CF, cystic fibrosis; GPA, granulomatosis with polyangiitis (Wegener's disease); EGPA, eosinophilic granulomatosis with polyangiitis (Churg-Strauss disease).

그림 1-2. 속발성 만성 비부비동염의 분류(classification of secondary CRS)
(European Position Paper on Rhinosinusitis and nasal polyps 2020. Rhinology; 2020 58: 1-464: Fokkens WJ, Lund VJ, Hopkins C, Hellings P, *et al.*)

4) 기타: 만성 비부비동염의 치료 후 조절 정도에 따른 분류(control of CRS)

적절한 치료 후 비부비동염이 조절되는 정도에 따라 조절된(controlled), 부분적으로 조절된(partly controlled), 또는 조절되지 않은(uncontrolled) CRS로 분류된다(그림 1-3). 분류의 기준은 증상(코막힘, 화농성 비루/후비루, 안면부 통증/압박감, 후각상태, 수면장애/피로)의 유무 혹은 조절 정도, 비내시경 검사에서 비용종, 점액화농성 분비물, 염증성 점막의 유무, 그리고 최근 6개월 이내에 CRS 치료를 위한 약물 투약이력이다(그림 1-3).

EPOS 2020: Assessment of current clinical control of CRS (in the last month)

	Controlled (all of the following)	Partly controlled (at least 1 present)	Uncontrolled (3 or more present)
Nasal blockage[1]	Not present or not bothersome[2]	Present on most days of the week[3]	Present on most days of the week[3]
Rhinorrhoea/ Postnasal drip[1]	Little and mucous[2]	Mucopurulent on most days of the week[3]	Mucopurulent on most days of the week[3]
Facial pain/Pressure[1]	Not present or not bothersome[2]	Present on most days of the week[3]	Present on most days of the week[3]
Smell[1]	Normal or only slightly impaired[2]	Impaired[3]	Impaired[3]
Sleep disturbance or fatigue[1]	Not present[2]	Present[3]	Present[3]
Nasal endoscopy (if available)	Healthy or almost healthy mucosa	Diseased mucosa[4]	Diseased mucosa[4]
Rescue treatment (in last 6 months)	Not needed	Need of 1 course of rescue treatment	Symptoms (as above) persist despite rescue treatment (s)

[1] Symptoms of CRS; [2] For research VAS $\leq$ 5; [3] For research VAS > 5; [4] Showing nasal polyps, mucopurulent secretions or inflamed mucosa

그림 1-3. 만성 비부비동염의 치료 후 평가에 따른 분류

(European Position Paper on Rhinosinusitis and nasal polyps 2020. Rhinology; 2020 58: 1-464: Fokkens WJ, Lund VJ, Hopkins C, Hellings P, *et al.*)

References

- Avdeeva K, Fokkens W. Precision Medicine in Chronic Rhinosinusitis with Nasal Polyps. Curr Allergy Asthma Rep 2018;18(4):25.

- Bachert C, Marple B, Hosemann W, Cavaliere C, Wen W, Zhang N. Endotypes of Chronic Rhinosinusitis with Nasal Polyps: Pathology and Possible Therapeutic Implications. J Allergy Clin Immunol Pract 2020;8(5):1514-9.

- Bachert C, Zhang N, Hellings PW, Bousquet J. Endotype-driven care pathways in patients with chronic rhinosinusitis. J Allergy Clin Immunol 2018;141(5):1543-51.

- Barham HP, Zhang AS, Christensen JM, Sacks R, Harvey RJ. Acute radiology rarely confirms sinus disease in suspected recurrent acute rhinosinusitis. Int Forum Allergy Rhinol 2017;7(7):726-33.

- DelGaudio JM, Loftus PA, Hamizan AW, Harvey RJ, Wise SK. Central compartment atopic disease. Am J Rhinol Allergy 2017;31(4):228-34.

- Desrosiers M, Evans GA, Keith PK, Wright ED, Kaplan A, Bouchard J, et al. Canadian clinical practice guidelines for acute and chronic rhinosinusitis. Allergy Asthma Clin Immunol 2011;7(1):2.

- Dietz de Loos D, Lourijsen ES, Wildeman MAM, Freling NJM, Wolvers MDJ, Reitsma S, et al. Prevalence of chronic rhinosinusitis in the general population based on sinus radiology and symptomatology. J Allergy Clin Immunol 2019;143(3):1207-14.

- European Academy of A, Clinical I. European position paper on rhinosinusitis and nasal polyps. Rhinol Suppl 2005;18:1-87.

- Fokkens WJ, Lund VJ, Hopkins C, Hellings PW, Kern R, Reitsma S, et al. European Position Paper on Rhinosinusitis and Nasal Polyps 2020. Rhinology 2020;58(Suppl S29):1-464.

- Fokkens WJ, Lund VJ, Mullol J, Bachert C, Alobid I, Baroody F, et al. European Position Paper on Rhinosinusitis and Nasal Polyps 2012. Rhinol Suppl 2012;23:3 p preceding table of contents, 1-298.

- Grayson JW, Hopkins C, Mori E, Senior B, Harvey RJ. Contemporary Classification of Chronic Rhinosinusitis Beyond Polyps vs No Polyps: A Review. JAMA Otolaryngol Head Neck Surg 2020;146(9):831-8.

- Ho J, Earls P, Harvey RJ. Systemic biomarkers of eosinophilic chronic rhinosinusitis. Curr Opin Allergy Clin Immunol 2020;20(1):23-9.

- Meltzer EO, Hamilos DL, Hadley JA, Lanza DC, Marple BF, Nicklas RA, et al. Rhinosinusitis: establishing definitions for clinical research and patient care. J Allergy Clin Immunol 2004;114(6 Suppl):155-212.

- Meltzer EO, Hamilos DL, Hadley JA, Lanza DC, Marple BF, Nicklas RA, et al. Rhinosinusitis: Developing guidance for clinical trials. Otolaryngol Head Neck Surg 2006;135(5 Suppl):S31-80.

- Nakayama T, Asaka D, Yoshikawa M, Okushi T, Matsuwaki Y, Moriyama H, et al. Identification of chronic rhinosinusitis phenotypes using cluster analysis. Am J Rhinol Allergy 2012;26(3):172-6.

- Nakayama T, Sugimoto N, Okada N, Tsurumoto T, Mitsuyoshi R, Takaishi S, et al. JESREC score and mucosal eosinophilia can predict endotypes of chronic rhinosinusitis with nasal polyps. Auris Nasus Larynx 2019;46(3):374-83.

- Orlandi RR, Kingdom TT, Hwang PH. International Consensus Statement on Allergy and Rhinology: Rhinosinusitis Executive Summary. Int Forum Allergy Rhinol 2016;6 Suppl 1:S3-21.

- Orlandi RR, Kingdom TT, Smith TL, Bleier B, DeConde A, Luong AU, et al. International consensus statement on allergy and rhinology: rhinosinusitis 2021. Int Forum Allergy Rhinol 2021;11(3):213-739.

- Rosenfeld RM, Piccirillo JF, Chandrasekhar SS, Brook I, Ashok Kumar K, Kramper M, et al. Clinical practice guideline (update): adult sinusitis. Otolaryngol Head Neck Surg 2015;152(2 Suppl):S1-S39.

- Soler ZM, Hyer JM, Ramakrishnan V, Smith TL, Mace J, Rudmik L, et al. Identification of chronic rhinosinusitis phenotypes using cluster analysis. Int Forum Allergy Rhinol 2015;5(5):399-407.

- Yilmaz I. Type 2 chronic rhinosinusitis with nasal polyps: From phenotype to endotype. J Allergy Clin Immunol Pract 2021;9(1):600-1.

II

만성 비부비동염의
역학 및 진단

만성 비부비동염의 역학 및 진단

김태훈, 신재민

Graphic abstract

Chronic rhinosinusitis (CRS)

Presence of two or more symptoms for ≥ 12 weeks
(one of which should be either ① or ②)

① Nasal discharge

③ Reduction or loss of smell

② Nasal blockage / obstruction / congestion

④ Facial pain / pressure

+ Nasal endoscopic or imaging findings

What's new in EPOS 2020

CRS-related olfactory impairments
- Most common cause of olfactory dysfunction encountered by ENT physician
- Distinct clinical features
  Ⅰ. Fluctuation of the olfactory complaint
  Ⅱ. Gap between ortho-versus retro-nasal olfactory function
- Good success rate of improvement if underlying CRS is treated

Facial pain in CRS
- Facial pain alone is rarely caused by CRS
- No relation between location of facial pain & abnormalities upon imaging
- Facial pain without other signs and symptoms of CRS
  Ⅰ. Do not primarily address surgically
  Ⅱ. Reconsider the diagnosis

1. 만성 비부비동염의 역학

만성 비부비동염(chronic rhinosinusitis, CRS)의 유병률(prevalence) 연구는 주로 상기도 감염, 알레르기 비염 증상들과 비슷한 비특이적인 증상을 기반으로 고안된 설문지를 통해 수행되기 때문에 실제 유병률보다 높게 추산되는 경우가 많다. 미국은 2009년 국민건강면접조사(National Health Interview Survey)를 통해 미국 성인의 유병률을 13%로 보고하였다. 2011년 12개 유럽 국가에서 EPOS (European Position Paper on Rhino-sinusitis and Nasal Polyps) 진단 기준 중 증상 기반 설문지를 통해 수행한 GA2LEN (Global Allergy and Asthma European Network) 연구에서는 유럽 성인 CRS의 유병률을 10.9% (6.9-27.1%)로 발표하였다. 이후 유사한 방식으로 다양한 국가에서 성인 CRS의 유병률 연구를 수행하였고, 중국 8%, 한국 11%, 미국 12%로 보고하였다.

설문지 기반 연구보다 비내시경 검사나 컴퓨터 단층촬영(computed tomography, CT) 등 객관적 검사가 추가된 자료의 신뢰도가 더 높다고 할 수 있다. 특히 국내에서 매년 시행하는 국민건강영양조사(Korean National Health and Nutrition Survey)는 일반 인구를 대상으로 문진 외에도 비내시경 검사를 실시하여 신뢰도가 높고 질환의 추이를 확인할 수 있다. 최근 CRS를 비용 동반 여부(CRSsNP 또는 CRSwNP)에 따라 표현형으로 분류하는 체계가 확립된 이후, 비내시경 검사를 함께 수행하는 유병률 연구의 장점이 부각되었다. 2008년부터 2012년까지 5년간 성인 28,912명을 대상으로 수행한 국민건강영양조사 분석 자료에 따르면, 우리나라 성인 중 CRS의 유병률을 CRSsNP 5.8%, CRSwNP 2.6%로 발표하였다. 한편, GA2LEN 연구의 일환으로 비내시경 소견이 포함된 유병률 조사를 통해, Tomassen 등은 유럽인의 CRS 유병률을 6.8%로 보고하였고, 이후 유럽 일부 국가별로 표현형에 따른 추정 유병률이 발표되었으나 편차가 큰 편이다. 그러나 공통적으로 CRSwNP 유병률은 40세 이상, 남성, 흡연자, 천식 등이 동반될 경우 좀 더 높게 나타나는 경향이 있다.

마지막으로 보건당국 데이터베이스를 활용한 인구기반 코호트 연구(population-based cohort study)를 통해 유병률을 추정하는 방법이 있다. 캐나다에서 2004-2005년과 2013-2014년의 인구 1,000명당 CRS 유병률을 추산하였고 각각 18.8명과 23.3명으로 발표하였다. 이러한 연구는 대규모 인구를 대상으로 연구를 수행할 수 있다는 장점이 있으나 부적당한 코호트로 인해 편향된 결과를 도출할 가능성이 있다는 단점도 있다. 일반적으로 국제질병분류(ICD; International Classification of Diseases) 진단 코드를 사용하여 CRS의 진단 또는 보험 청구 통계를 분석하여 추산하는 방식이나 지역적 편차가 크고, 일반의는 급성과 만성의 정확한 구분에 어려움이 있어 CRS의 역학 연구에 한계가 있다. 그러나 CRS와 다른 질환과의 연관성을 높은 신뢰수준으로 규명할 수 있다는 장점이 있으며, 최근 국내에서도 건강보험심사평가원(Health Insurance Review & Assessment Service, HIRA) 자료를 기반으로 다양한 연구들이 진행되고 있다.

2. 만성 비부비동염의 진단

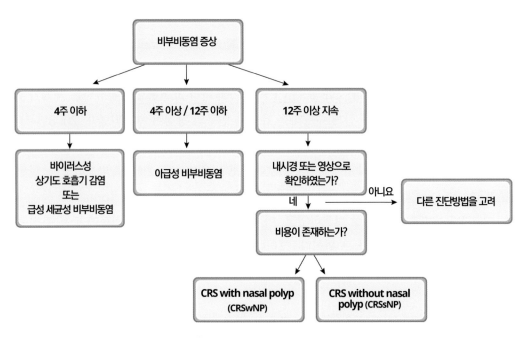

그림 2-1. 위의 모식도는 비부비동염의 진단 과정이다. 만성 비부비동염은 비부비동염의 증상이 12주 이상 지속될 경우 내시경 또는 영상 검사를 통해 진단할 수 있다.

CRS의 증상은 알레르기 비염이나 비알레르기 비염(non-allergic rhinitis) 같은 상기도 질환에서 통상 호소하는 증상과 유사하여, 정확하게 구분하기 어렵다. 이로 인해, EPOS 가이드라인에서는 CRS의 진단 기준을 12주 이상 지속되는 비부비동염 증상과 함께 비내시경 또는 CT 등 영상검사에 기반을 두도록 권고하였다(표 2-1). 이를 반영하여 요약하면, 비부비동염의 진단 과정을 다음의 모식도로 나타낼 수 있다(그림 2-1). 최근 개정한 EPOS 2020은 CRS의 진단에서 비루, 코막힘, 후각감소 및 안면통의 4가지 주요 증상 중 후각감소와 안면통에 주목하여 개정하였다. CRS와 연관된 후각장애는 이비인후과 의사의 전문 분야로 진단 및 치료에 적극적으로 활용하도록 권유하였다. 반면, 안면통은 다양한 원인에 의해 생기는 증상이기 때문에 비부비동염의 다른 증상이 없고 신체검사 및 영상검사 소견이 정상인 경우에는 일차적으로 수술적 접근을 시도하지 말고 신경과와 협진을 통해 신중하게 결정하도록 권고하였다.

표 2-1. 성인 만성 비부비동염 진단 기준

다음과 같은 증상이 2개 이상, 12주 이상 지속되는 경우
1) 비강 분비물(비루 또는 전·후비루) 2) 코막힘(비폐색) 또는 비충혈 3) 후각감소 및 장애 4) 안면통 또는 압박감
그리고 다음 객관적인 결과 중 하나 이상 해당될 경우
1) 비내시경 또는 컴퓨터 단층 촬영(CT)에서의 염증의 증거 2) 부비동에서 유래한 화농성 비루의 증거

1) 병력청취 및 신체검사

CRS 진단을 위해 코증상 이외 알레르기 비염, 천식 등 동반 질환의 병력, 기저 질환, 흡연력, 가족력, 부비동 내시경 수술(endoscopic sinus surgery, ESS)이나 상악동 근치술 등의 코수술 과거력을 포함하는 상세한 문진을 시행한다. 또한 위식도 역류 질환이나 아스피린 불내성(aspirin intolerance) 등의 병력도 주의 깊게 확인해야 한다. 이와 더불어 전비경 검사나 비내시경 검사를 기본으로 철저한 이비인후과적 신체검사를 수행해야 한다.

(1) 전비경 검사

전비경 검사는 지난 수십 년간 코질환 진단의 기본 신체검사로 비강 점막의 부종과 발적을 관찰할 수 있다. 또한, 비중격 만곡 및 하비갑개 비대 등 코막힘을 유발할 수 있는 해부학적 구조를 확인하고 비용종 동반 여부를 관찰할 수 있다. 특히, 비강 내 화농성 비루는 비부비동염 진단에 가장 중요한 신체검사 소견이다. 하지만 과거 헤드미러를 쓰고 시행한 전비경 검사는 대부분 비내시경 검사로 대치되었다.

(2) 비내시경 검사

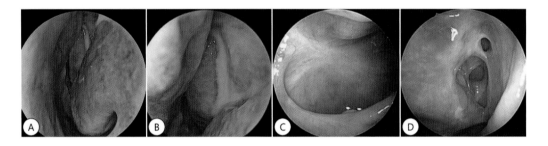

그림 2-2. (A)는 0도 내시경을 이용하여 좌측 비강을 전반적으로 관찰하고 있다. (B)는 30도 내시경을 이용하여 좌측 중비도 내의 화농성 비루를 관찰하고 있다. (C)와 (D)는 70도 내시경을 이용하여 각각 좌측 상악동 내부와 우측 전두와를 관찰하고 있다.

비내시경 검사는 시야가 좋고 화질이 우수하여 현재 비강 신체검사의 기본으로 자리잡았다. 비강, 중비도, 구상돌기(uncinate process), 접사함요(sphenoethmoidal recess)를 포함하는 비강의 기본구조 외에도 다양한 각도의 내시경을 활용하여 전두와(frontal recess), 후열(olfactory cleft) 등도 상세히 관찰할 수 있다(그림 2-2). 또한, 환자 상담 및 교육적 목적에도 활용이 가능하다. 최근 체계적 문헌고찰 연구에 따르면, CRS 진단 정확도의 관점에서 비내시경 검사와 부비동 CT촬영을 비교 연구하였고 두 검사는 높은 일치도를 보였다.

2) 영상 검사

부비동의 단순방사선 검사는 급성 비부비동염의 진단에 유용하지만, CRS의 증상이나 CT 소견과 일치하지 않는 경우가 많아 CRS 진단에는 한계가 있다. 특히 단순방사선 검사상 상악동 병변은 CT와 비교하여 높은 일치율(78%)을 보이나 사골동은 절반 수준(52%)으로 알려져 있다.

(1) 컴퓨터 단층촬영(computed tomography, CT)

CT는 CRS의 진단을 위해 EPOS 가이드라인에서 권고하는 표준 검사로 일반적으로 3 mm 간격으로 촬영한다. 그러나, 급성 비부비동염은 임상 증상 등을 기반으로 진단하기에 치료에 듣지 않거나 합병증이 의심되는 경우를 제외하고 CT를 권고하지 않는다. 일반적으로 가장 널리 사용되는 CT 분석 방법은 일측 부비동을 상악동, 전/후 사골동, 전두동, 접형동, 개구비 도복합체(ostiomeatal complex)의 여섯 부분으로 분류하고 각 부비동마다 혼탁 정도를 기준으로 0-2점의 점수를 부여하는 Lund-Mackay 체계이다. 성인 CRS의 진단에 CT의 정확성을 연구한 결과에 따르면, Lund-Mackay 점수 2점 이하는 음성 예측도(negative predictive value)가 우수하고 5점 이상은 양성 예측도(positive predictive value)가 우수하다. 하지만 CT 소견과 환자의 증상은 서로 상관관계가 없다는 연구 결과도 있으므로 해석에 주의를 요한다. EPOS 2020에서는 6개월 이내 시행한 CT는 CRS의 치료에 반영할 수 있지만 3년이 경과한 CT는 참고할 수 없다고 권고하였다. 또한 CRS의 수술적 치료를 계획한다면, 반드시 CT를 시행하여 해부학적 구조를 숙지해야 한다. 만약, CT에서 병변 주위에 골미란과 골결손이 있는 경우 자기공명영상(magnetic resonance imaging, MRI)을 시행하여 추가 정보를 얻을 수 있다.

(2) 자기공명영상(magnetic resonance imaging, MRI)

MRI는 가격이 비싸고 주변 골조직을 볼 수 없다는 한계로 CRS의 진단에 기본적으로 사용되지는 않지만 방사선에 노출되지 않고 연조직에 대한 해상도가 높다는 장점이 있다. MRI는 수소 원자핵을 이용하여 각 조직에서 나오는 신호의 차이를 측정하고 T1 강조영상, T2 강조영상 등의 기법으로 재구성하여 부비동 종양의 감별진단, 안와 및 두개 내 침윤, 비부비동염의 합병증 등을 판단할 때 유용하다(그림 2-3).

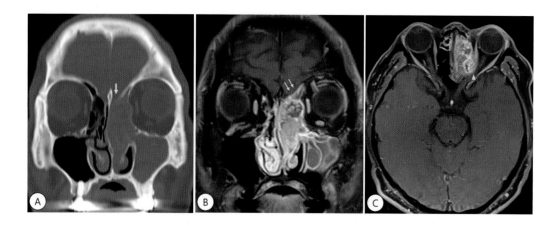

그림 2-3. (A)는 부비동 전산화 단층촬영검사의 관상영상이며, 좌측 사상판(cribriform plate)의 외측기판(lateral lamella)과 사골와(fovea ethmoidalis)의 골결손이 관찰된다(bold arrow). (B)와 (C)는 조영증강 자기공명영상이다. (B)는 T1 강조영상의 관상영상으로 좌측 비강 내로 조영증강이 잘 되는 종괴성 병변이 관찰되며, 골결손 부위의 경막이 조영증강되어 두개 내 침윤이 의심된다(thin arrows). (C)는 T1강조영상의 축상영상으로 종괴성 병변이 좌측 지판을 넘어 외안근 원추 외 공간(extraconal space)까지 침범한 소견이다(arrow head).

3] 실험실 검사

[1] 혈액검사

최근 type 2 CRS의 치료에 생물학적 제제(biologics)를 사용하는 건수가 증가하고 있고, 진단이나 치료 반응을 예측하기 위한 바이오마커 연구가 진행중이다. Type 2 CRS 진단에 중요한 바이오마커로 호산구, 혈청 immunoglobulin E (IgE), periostin 등을 사용하고 있고, 그중 혈액 또는 조직 호산구 개수가 호산구성 CRS 진단에 중요한 기준이 된다. 한편, 혈청 periostin 수치는 생물학적 제제의 치료 반응을 예측할 수 있는 바이오마커 후보로 다양한 연구가 수행되고 있다.

[2] 미생물 검사

비부비동 미생물 검체를 배양하여 확인하는 것은 급성 세균성 비부비동염에서 중요한 절차이지만, CRS에서 역할은 명확하지 않다. 과거 상악동 천자법을 활용하여 농성 분비물을 흡인하고 세균배양검사 및 감수성 검사를 시행하였으나, 현재는 비내시경으로 중비도를 확인하며 분비물을 도말(swab)하는 기법을 주로 사용한다. 메타분석 결과 내시경 하 중비도 도말 기법은 상악동 천자나 ESS 중 시행한 배양검사와 잘 일치하여 현재 주된 검사방법으로 자리 잡았다.

(3) 조직검사

CRS 진단은 앞에서 언급하였듯이 명확한 증상과 비내시경 또는 영상 검사소견 등을 기반으로 결정하는 임상 진단이다. 조직검사는 염증의 내재형을 확인하거나 감별진단에 중요한 역할을 한다. EPOS 2020에서는 CRS 의심 환자의 초진 때 조직검사가 필수적이지 않다고 설명한다. 미국에서 180명의 CRSsNP 환자와 200명의 CRSwNP 환자의 조직검사 결과를 후향적으로 연구한 결과, CRSsNP 환자의 1.1%, CRSwNP 환자의 4.5%에서 반전성 유두종, 암, 유육종증(sarcoidosis) 등을 임상적으로 진단하지 못했고, 따라서 비용의 경우 조직검사를 가능한 반드시 시행하도록 권고하였다. 하지만 아직까지 논란의 여지가 있어 명확한 합의나 가이드라인은 부족한 실정이다. 제한된 경우, 초기 조직검사를 통해 호산구 침윤의 정도를 확인하고, 호산구성 CRS를 진단하거나 생물학적 제제의 치료반응을 예측하는 데 도움이 될 수 있다.

4) 코기능 검사

(1) 후각검사

후각 감소는 CRS 환자들이 호소하는 흔한 증상으로 특히 CRSwNP 환자에서 두드러진 증상이다. CRS의 후각장애 원인은 후열의 부종이나 비용이 흡기류를 차단하여 유발하는 전도성 후각장애뿐만 아니라 후각 신경점막의 염증으로 인한 감각신경성 후각장애 등이 복합적으로 작용하는 경우도 있다. 일반적으로 후각검사는 역치, 식별, 인지 등을 측정하는 방식으로, 각 문화권에 따른 익숙한 향을 사용해야 정확한 결과를 얻을 수 있어 국가별로 차이가 있다. 국내에서 널리 사용되는 KVSS (Korean Version of Sniffin' Sticks) 혹은 YOF (YSK olfactory function) test는 유럽에서 사용하는 펜 타입의 Sniffin' Sticks test 방식으로, 인지검사의 후각원을 한국인에게 친숙한 것으로 바꾸어 사용하고 있다. 한편, EPOS 2020에서는 후각 감소를 호소하는 CRS 의심 환자에게 반드시 비내시경 검사를 시행하도록 권고하였다.

(2) 산화질소(nitric oxide) 검사

산화질소는 산소와 아르기닌을 기질로 염증 신호에 반응하여 산화질소 합성 효소에 의해 부비동, 비강 점막, 하기도 등에서 만들어진다. 미생물 등에 대하여 항균 효과가 있어 기도의 선천 면역 기능의 일부로 여겨지며, 염증 신호의 임상적 표지자로 간주된다. 호산구성 천식에서 호기 산화질소가 증가되어 천식의 진단과 관리에 활용되며, 원발성 섬모운동이상증 진단에 민감도 및 특이도가 높아 주목을 받고 있다. CRSsNP 환자에 비해 CRSwNP 환자의 호기 산화질소 농도가 유의하게 낮게 측정된다는 연구결과도 있어 CRS의 진단 검사로 널리 활용되진 않지만, 치료 반응을 추적하기 위해 사용할 수 있다.

(3) 코막힘 검사

코막힘은 CRS의 가장 중요한 증상 중 하나로 수면 장애 등과 연관되어 삶의 질에 큰 영향을 미친다. 객관적인 코막힘 평가를 위해 음향 비강통기도 검사(acoustic rhinometry), 비강통기도 검사(rhinomanometry), 최대비강흡기유속(peak nasal inspiratory flowmetry) 등을 사용한다.

5) 삶의 질(quality-of-life) 검사 도구

CRS가 환자의 삶의 질에 미치는 영향을 평가하기 위해 다양한 설문지가 고안되었고 이들은 질환의 중증도를 환자의 주관적 인식을 기반으로 정량화하였다. CRS의 진단에 필수적인 검사는 아니지만, 치료 전과 후에 검사를 반복 수행하면 치료에 대한 환자의 주관적 반응을 평가할 수 있고, 치료 방침이나 술후 결과를 예측하는 데 도움을 줄 수 있다. CRS를 위해 고안된 대표적인 삶의 질 평가 도구로 Rhinosinusitis Disability Index (RSDI), Rhinosinusitis Outcome Measure (RSOM-31), Sino-Nasal Outcome Test-22 (SNOT-22) 등이 있다. 최근 체계적 고찰 연구에 따르면 SNOT-22가 CRS 환자의 삶의 질에 미치는 영향을 가장 적절히 평가할 수 있다고 한다. 또한 EPOS 2020에서도 CRS의 관리를 위해 삶의 질 검사가 중요함을 강조하였고, SNOT-22가 가장 적절하다고 권유하였다.

References

- Ahn J-C, Kim J-W, Lee CH, Rhee C-S. Prevalence and risk factors of chronic rhinosinusitus, allergic rhinitis, and nasal septal deviation: results of the Korean National Health and Nutrition Survey 2008-2012. JAMA otolaryngology–head & neck surgery 2016;142(2):162-7.

- Aslan F, Altun E, Paksoy S, Turan G. Could Eosinophilia predict clinical severity in nasal polyps? Multidisciplinary respiratory medicine 2017;12(1):1-5.

- Benninger MS, Payne SC, Ferguson BJ, Hadley JA, Ahmad N. Endoscopically directed middle meatal cultures versus maxillary sinus taps in acute bacterial maxillary rhinosinusitis: a meta-analysis. Otolaryngology-Head and Neck Surgery 2006;134(1):3-9.

- Busaba NY, de Oliveira LV, Kieff DL. Correlation between preoperative clinical diagnosis and histopathological findings in patients with rhinosinusitis. Am J Rhinol 2005;19(2):153-7.

- de Winter–de Groot KM, van Haren Noman S, Speleman L, Schilder AG, van der Ent CK. Nasal nitric oxide levels and nasal polyposis in children and adolescents with cystic fibrosis. JAMA Otolaryngology–Head & Neck Surgery 2013;139(9):931-6.

- Fokkens WJ, Lund V, Bachert C, Mullol J, Bjermer L, Bousquet J, et al. EUFOREA consensus on biologics for CRSwNP with or without asthma. Allergy 2019;74(12):2312-9.

- Fokkens WJ, Lund VJ, Hopkins C, Hellings PW, Kern R, Reitsma S, et al. European position paper on rhinosinusitis and nasal polyps 2020. Rhinology 2020;58 (Suppl S29):1-464.

- Fokkens WJ, Lund VJ, Mullol J, Bachert C, Alobid I, Baroody F, et al. EPOS 2012: European position paper on rhinosinusitis and nasal polyps 2012. A summary for otorhinolaryngologists. Rhinology 2012;50(1):1-12.

- Hastan D, Fokkens W, Bachert C, Newson R, Bislimovska J, Bockelbrink A, et al. Chronic rhinosinusitis in European underestimated disease. A GA2LEN study. Allergy 2011;66(9):1216-23.

- Hill M, Bhattacharyya N, Hall TR, Lufkin R, Shapiro NL. Incidental paranasal sinus imaging abnormalities and the normal Lund score in children. Otolaryngology-Head and Neck Surgery 2004;130(2):171-5.

- Hirsch AG, Stewart WF, Sundaresan AS, Young AJ, Kennedy TL, Scott Greene J, et al. Nasal and sinus symptoms and chronic rhinosinusitis in a population-based sample. Allergy 2017;72(2):274-81.

- Hoggard M, Wagner Mackenzie B, Jain R, Taylor MW, Biswas K, Douglas RG. Chronic rhinosinusitis and the evolving understanding of microbial ecology in chronic inflammatory mucosal disease. Clin Microbiol Rev 2017;30(1):321-48.

- Izuhara K, Nunomura S, Nanri Y, Ono J, Takai M, Kawaguchi A. Periostin: an emerging biomarker for allergic diseases. Allergy 2019;74(11):2116-28.

- Izuhara K, Ohta S, Ono J. Using periostin as a biomarker in the treatment of asthma. Allergy Asthma Immunol Res 2016;8(6):491-8.

- Kim DH, Seo Y, Kim KM, Lee S, Hwang SH. Usefulness of nasal endoscopy for diagnosing patients with chronic rhinosinusitis: a meta-analysis. American journal of rhinology & allergy 2020;34(2):306-14.

- Kim JH, Cho C, Lee EJ, Suh YS, Choi BI, Kim K-S. Prevalence and risk factors of chronic rhinosinusitis in South Korea according to diagnostic criteria. Rhinology 2016;54(4):329-35.

- Lee S-G, Park GU, Moon YR, Sung K. Clinical characteristics and risk factors for fatality and severity in patients with coronavirus disease in Korea: A nationwide population-based retrospective study using the Korean Health Insurance Review and Assessment Service (HIRA) database. Int J Environ Res Public Health 2020;17(22):8559.

- Lee WH, Kim J-W, Lim J-S, Kong IG, Choi HG. Chronic rhinosinusitis increases the risk of hemorrhagic and ischemic stroke: A longitudinal follow-up study using a national sample cohort. PLoS One 2018;13(3):e0193886.

- Liu CC, Lui J, Oddone Paolucci E, Rudmik L. Systematic review of the quality of economic evaluations in the otolaryngology literature. Otolaryngology-Head and Neck Surgery 2015;152(1):106-15.

- Mahdavinia M, Keshavarzian A, Tobin MC, Landay A, Schleimer RP. A comprehensive review of the nasal microbiome in chronic rhinosinusitis (CRS). Clin Exp Allergy 2016;46(1):21-41.

- Park IB, Baik SH. Epidemiologic characteristics of diabetes mellitus in Korea: current status of diabetic patients using Korean Health Insurance Database. Korean Diabetes J 2009;33(5):357-62.

- Pleis JR, Ward BW, Lucas JW. Summary health statistics for U.S. adults: National Health Interview Survey, 2009. Vital Health Stat 10. 2010;(249):1–207.

- Rudmik L, Hopkins C, Peters A, Smith TL, Schlosser RJ, Soler ZM. Patient-reported outcome measures for adult chronic rhinosinusitis: A systematic review and quality assessment. J Allergy Clin Immunol 2015;136(6):1532-40. e2.

- Shapiro AJ, Josephson M, Rosenfeld M, Yilmaz O, Davis SD, Polineni D, *et al.* Accuracy of nasal nitric oxide measurement as a diagnostic test for primary ciliary dyskinesia. A systematic review and meta-analysis. Annals of the American Thoracic Society 2017;14(7):1184-96.

- Shi JB, Fu Q, Zhang H, Cheng L, Wang Y, Zhu D, *et al.* Epidemiology of chronic rhinosinusitis: results from a cross-sectional survey in seven Chinese cities. Allergy 2015;70(5):533-9.

- Tan BK, Chandra RK, Pollak J, Kato A, Conley DB, Peters AT, *et al.* Incidence and associated premorbid diagnoses of patients with chronic rhinosinusitis. J Allergy Clin Immunol 2013;131(5):1350-60.

- Tomassen P, Newson R, Hoffmans R, Lötvall J, Cardell L-O, Gunnbjörnsdóttir M, *et al.* Reliability of EP3OS symptom criteria and nasal endoscopy in the assessment of chronic rhinosinusitis—a GA2LEN study. Allergy 2011;66(4):556-61.

- Varonen H, Savolainen S, Kunnamo I, Heikkinen R, Revonta M. Acute rhinosinusitis in primary care: a comparison of symptoms, signs, ultrasound, and radiography. Rhinology 2003;41(1):37-43.

- Xu Y, Quan H, Faris P, Garies S, Liu M, Bird C, *et al.* Prevalence and incidence of diagnosed chronic rhinosinusitis in Alberta, Canada. JAMA otolaryngology–head & neck surgery 2016;142(11):1063-9.

III

만성 비부비동염의 병태생리

만성 비부비동염의 병태생리

김대우, 김상욱, 조현진, 조성우

Graphic abstract

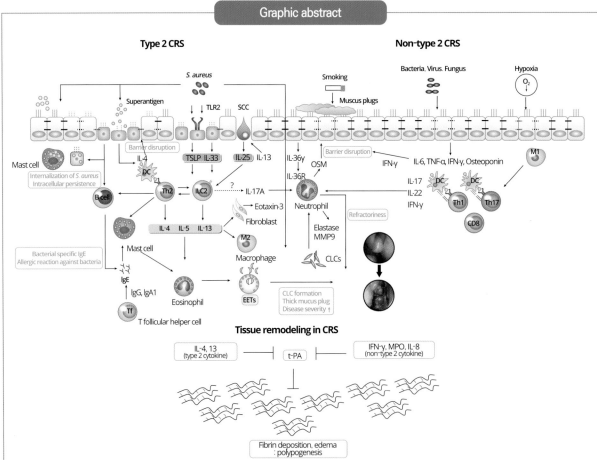

Abbreviations:
CLC, Charcot–Leyden crystal; DC, dendritic cell; EET, eosinophil extracellular trap; IFN, interferon; IL, interleukin; ILC2, group 2 innate lymphoid cell; LPS, lipopolysaccharide; MPO, myeloperoxidase; NET, neutrophil extracellular trap; OSM, oncostatin M; ROS, reactive oxygen species; SCC, solitary chemosensory cell; Spls, serine protease-like protein; TLR2, toll-like receptor 2; t-PA, tissue-plasminogen activator; TSLP, thymic stromal lymphopoietin.

1. 서론

과거에는 만성 비부비동염(chronic rhinosinusitis, CRS)을 미생물의 감염으로 인한 만성 감염성 질환으로 인식하였고, 치료의 목적은 감염의 해소였다. 따라서 항생제를 기본으로 한 약물치료에 효과가 없을 경우 수술로 부비동의 배기 및 환기를 시행하는 개념으로 치료하였다. 최근 CRS의 병태생리는 비부비동의 외부 환경(environment)에 의해 야기된 숙주의 면역체계 이상 반응으로 생긴 만성 염증(chronic inflammation)으로 설명하고 있으며, 항생제보다는 개개인의 면역기능장애의 조절(correction of immune dysfunction)을 통한 치료를 목적으로 하고 있다.

만성 염증의 종류는 T세포, 선천성 림프세포(innate lymphoid cell), 비만세포(mast cell), 대식세포(macrophage), 호중구(neutrophil), 호산구(eosinophil) 등의 염증세포에서 분비되는 사이토카인(cytokine)의 종류에 따라 정해지는데, type 1, type 2, type 3 면역반응으로 나눌 수 있다.

Type 1 면역반응은 주로 세포 내 병원체(일반적으로 바이러스)에 대항하며, 대표적인 사이토카인은 interferon (IFN)-γ이다. Type 2 면역반응은 주로 기생충에 대항하며, 대표적인 사이토카인은 interleukin (IL)-4, IL-5, IL-13이다. Type 3 면역반응은 세포외 병원체 및 곰팡이에 대한 반응이며, 대표적인 사이토카인은 IL-17 및 IL-22이다. CRS의 경우 비부비동 조직 내에서 이러한 3가지 면역 반응이 단독 혹은 복합적으로 일어난다.

부비동염의 표현형(phenotype)은 비용종 유무에 따라 비용종을 동반한 만성 비부비동염(chronic rhinosinusitis with nasal polyp, CRSwNP)과 비용종을 동반하지 않은 만성 비부비동염(chronic rhinosinusitis without nasal polyp, CRSsNP)으로 나눈다. CRSwNP의 경우 서양인에서는 type 2가 주요한 면역 반응이지만 동양인에서는 non-type 2 (type 1 또는 type 3) 면역 반응이 많은 부분을 차지하고 있다. CRSsNP의 경우 non-type 2 면역반응이 주된 것으로 알려졌지만 최근 서양의 연구에서 CRSsNP에서도 절반 정도가 type 2 면역반응으로 구성되어 있다는 것이 밝혀지면서 최근에는 CRS의 내재형(entotype)을 type 2 또는 non-type 2 CRS으로 분류하고 있다. 내재형에 따라 구별하는 이유는 치료에 대한 반응이나 동반 질환의 유병률이 다르기 때문인데, type 2 CRS는 스테로이드에 대한 반응이 좋고 천식의 동반 빈도가 높으며, type 2 면역반응의 대표적인 사이토카인을 표적으로 하는 생물학적 제제를 사용할 수 있다.

2. Type 2 CRS

Type 2 CRS는 European Position Paper on Rhinosinusitis and Nasal Polyps (EPOS) 2020에서 제시하고 있는 원발성(primary) CRS 중에서 내재형이 명백하게 type 2인 것으로 정의하고 있다. 현재까지의 연구에서 type 2 CRS는 다음과 같은 염증반응이 특징적이다. *Staphylococcus aureus*를 비롯하여 외부 자극원들에 의해 상피세포 유래 사이토카인(epithelial cell-derived cytokine)이 유리되고, 유리된 사이토카인에 의해 제2형 선천성 림프세포(group 2 innate lymphoid cell, ILC2) 및 T helper 2 (Th2) 세포들이 immunoglobulin E (IgE)를 생성하고 호산구가 활성화된다. 특히 *S. aureus* 장독소(enterotoxin)는 항원 특이성에 관계없이 많은 수의 T세포 및 B세포를 활성화시키고 궁극적으로 염증 매개체 방출을 유발하는 초항원(superantigen)으로 작용한다. 이 외에도 정상적인 부비동 점막 상피의 형태변화(barrier remodeling)로 인한 투과성 증가 등의 병태생리적 원인도 type 2 CRS의 발병에 관여한다.

최근 임상에서 사용되고 있는 CRS에 대한 생물학적 제제는 type 2 염증을 표적으로 하는 약제이므로 type 2 CRS의 병태생리를 이해하는 것이 중요하다. 정밀의학적 관점에서 보았을 때, 공통된 기전으로 비슷한 임상 특성을 가진 질환들을 구분하는 것이 무엇보다 중요하며, 이런 관점에서 질병 분류의 초기 모델로 확립된 질환이 type 2 CRS라는 점에서 의의가 있다. Type 2 CRS의 만성 면역 반응에는 선천성 림프세포, T세포, 호산구, 호중구, 단핵구, 비만세포 등 여러 가지 세포가 관여하고 수많은 사이토카인, 케모카인(chemokine), 지질매개자(lipid mediator)들이 이들 세포의 상호작용에 관여한다.

1) 상피세포(epithelial cell)

비부비동의 표면은 대부분 위중층원주섬모상피(ciliated pseudostratified columnar epithelium)로 구성되어 있으며, 밀착 접합(tight junction), 세포골격(cytoskeleton), 간극결합채널(gap junction channel) 등이 물리적 장벽 역할을 한다. Type 2 사이토카인 중 하나인 IL-4 뿐만 아니라 IFN-γ 같은 type 1 사이토카인 등 다양한 유발요인들에 의해 상피세포에 변화가 일어나면, *S. aureus* 또는 다른 병원체들로부터 유래된 단백질들이 쉽게 상피 내로 침투하여 CRS의 발병 혹은 악화의 기전으로 작용한다. 또한 다양한 종류의 패턴인식수용체(pattern recognition receptor, PRR)를 통하여 thymic stromal lymphopoietin (TSLP), IL-25, IL-33과 같은 상피세포 유래 사이토카인들의 생성을 촉진하는 것이 CRS의 발생 혹은 질병 악화와 관련된다. TSLP, IL-25, IL-33는 ILC2에 작용하여 type 2 사이토카인의 분비를 증가시키며, TSLP는 수지상세포(dendritic cell)에도 작용하여 미접촉 T세포(naïve T cell)를 Th2 세포로 분화를 촉진시킨다.

2) 선천성 림프세포(innate lymphoid cell, ILC)

선천성 림프세포는 과거에 세포 독성 자연살해세포(natural killer cell, NK cell) 및 림프조직 유도세포(lymphoid tissue inducer, LTi) 등으로 알려져 있었는데, 최근에 세포 비독성 선천성 림프세포들의 존재와 역할이 밝혀지면서 면역학적 중요성이 커지고 있다. 선천성 림프세포들은 전통적으로 림프세포와 유사한 형태학적 특징을 가지면서도 세포계통 표지가 음성(linage negative)인 세포로 규정되며, 항원 특이성을 나타내는 수용체가 존재하지 않는다. 선천성 림프세포는 그 특성에 따라 ILC1, ILC2, ILC3 등의 아형으로 분류한다.

선천성 림프세포의 아형 중 ILC2의 경우 type 2 CRS의 병태생리에 중요한 역할을 하는 것으로 알려져 있다. ILC2는 type 2 CRS 환자의 비점막에 증가되어 있으며, IL-25, IL-33, TSLP 등의 사이토카인의 영향을 받아 항원 비의존적(antigen independent) 활성화를 통해 IL-4, IL-5, IL-13을 생성하여 염증반응을 일으킨다. ILC2는 IL-25, IL-33, TSLP와 같은 상피세포 유래 사이토카인뿐만 아니라 Th2 세포의 receptor activator of NF-κB (RANK) ligand (RANK-L) 그리고 prostaglandin (PG) G_2, leukotriene (LT) C_4, LTD_4와 같은 지질 매개자(lipid mediator)에 의해서도 활성화된다.

IL-5는 호산구를 조직 내로 모집(recruitment)하는 가장 중요한 역할을 하고, IL-4와 IL-13의 수용체는 알파 아단위(alpha subunit)를 공유하여 서로 상승 작용에 의해 B세포에서의 IgE의 생성과 상피세포에서 점액분비를 촉진한다. IL-13은 혈관 내피세포의 vascular cell adhesion molecule (VCAM)-1의 발현을 증가시켜 혈중의 림프구, 호산구, 호염기구(basophil)를 모집하는 역할을 하고, 상피세포를 비롯하여 다른 세포에서 C-C motif chemokine ligand (CCL) 13, eotaxin-1, 2, 3의 발현을 유도하여 IL-5와 함께 조직 내로 호산구를 모집한다. 이렇게 모집된 호산구는 IL-5에 의해 활성화된다.

3) 비만세포(mast cell)

비만세포는 대부분의 인체조직에 분포하며 생체활성화 물질의 분비를 통해 혈관 내 면역세포를 조직으로 이동시킨다. 일부 항원에 대해서는 표면 항체를 통한 적응성 면역의 특징을 보이는데, 특히 IgE 부착 비만세포가 알레르기성 면역 질환과 밀접한 관계가 있음은 매우 잘 알려져 있다. Type 2 CRS에서는 초항원으로 생각되는 *S. aureus*의 장독소에 대한 반응으로 다양한 B세포에서 생성된 다클론(polyclonal) IgE가 비만세포와 같은 세포의 FcεRI에 붙어서 leukotriene, PDG$_2$, IL-4, IL-5, IL-13과 같은 염증 매개물질을 분비하여 type 2 염증반응을 증진시킨다. 다클론 IgE와 이들로 인한 비만세포의 작용이 type 2 CRS 발병에 기인한다는 것은 anti-IgE 생물학적 제제(omalizumab)를 통한 CRS 임상실험에서 효과가 입증되었다는 것으로부터 쉽게 유추를 할 수 있다.

4) 호산구(eosinophil)

호산구는 조직 회복과 면역 방어에 중요한 역할을 하는데, 특히 기생충에 관련된 역할이 잘 알려져 있다. 호산구는 천식, 알레르기 비염, 아토피 피부염 등의 type 2 면역 반응을 주 기전으로 하는 질환에서 중요한 세포이며, 호산구로 인한 조직 손상이 이 질환들의 주 병리 소견이다. 호산구는 type 2 CRS의 특징적인 형태적, 내재적 특성을 정의하는 지표이기도 하며, 질병의 중증도를 결정하고 예후를 결정짓는 요인이다. 상피세포에서 생성되는 사이토카인과 type 2 사이토카인, ILC2 및 Th2 세포가 호산구의 조직 내 침윤, 활성화, 생존의 중요한 요소이다.

Type 2 CRS에서는 ILC2, Th2 세포, 비만세포에 의해 조직 내 IL-5가 증가하며, 이렇게 증가된 IL-5는 혈액을 타고 골수로 전달되어 골수로부터 호산구의 성숙화와 말초혈액으로의 이동을 촉진한다. 이렇게 골수에서 말초로 이동한 호산구는 비용종 조직 내에서 발현되는

cysteinyl leukotriene, eotaxin-1 (CCL11), eotaxin-3 (CCL26), monocyte chemotactic protein (MCP)-3 (CCL7), MCP-4 (CCL13), regulated on activation, normal T cell expressed and secreted (RANTES, CCL5) 등의 케모카인과, 이를 인지하는 호산구의 C-C motif chemokine receptor (CCR) 3, chemoattractant receptor-homologous molecule expressed on Th2 cell (CRTh2), cysteinyl leukotriene receptor 1 (CysLT1) 수용체의 작용에 의해 혈액에서 조직 내로 이동한다.

호산구는 특징적으로 세포 내 생체 활성화 물질[eosinophil-derived neurotoxin (EDN), ECP]과 다양한 사이토카인 및 케모카인을 탈과립화를 통해 분비하고 이를 통해 직접적으로 세포독성을 일으키거나 기타 면역 세포의 조직 군집을 형성한다. 호산구의 조절되지 않는 과활성화는 조직을 파괴시키고 이로 인한 2차적인 면역반응을 유도할 수도 있다. 이 외에도 Charcot-Leyden crystal (CLC)을 구성하는 galectin-10은 과립(granule)에 저장되어 있지 않고 세포질(cytoplasm)에 저장되어 있으며 type 2 염증반응을 증폭시키며, 또한 호중구성 염증반응도 유발한다. Galectin-10이 크리스탈화된 형태인 CLC는 호산구의 세포 외 트랩 (eosinophil extracellular trap, EET) 때 세포 밖으로 방출되며, EET와 CLC는 type 2 CRS 에서 질환의 심한 정도를 나타내는 지표로도 사용된다. EET는 IL-5, IFN-γ 등에 의해 발생하며, *S. aureus*, *Aspergillus fumigatus*에 의해서도 유도되는 것으로 보고되었다.

현재까지 type 2 CRS의 내재형을 구분할 수 있는 조직 내 침윤된 호산구 수에 대한 명확한 기준이 정해져 있지 않다. 일본의 다기관 연구에서 밝혔듯이 부비동 조직 내 호산구의 수가 고배율에서 70개 이상일 때 수술 후 재발이 유의하게 증가한다. 전체 염증세포에서 호산구가 차지하는 비율로 나타내는 경우도 있는데, 보통 10% 기준으로 하며 이는 정상 비부비동 점막에서 벗어난 수치를 기준으로 한 연구에 기반을 두고 있다. 하지만 국제적으로 공인된 절단값 (cut-off value)은 현재까지 없는 상황이다.

말초혈액 내 호산구와는 달리 폴립 조직 내 활성화된 호산구의 경우 membrane IL-5 receptor α (mIL-5Rα)의 발현이 저하되어 있는 반면, 그것의 antagonist인 soluble IL-5 receptor α (sIL-5Rα)의 발현은 증가되어 있다. 이러한 사실은 일부 임상연구에서 보여주었듯이, anti-IL-5 monoclonal antibody의 사용과 type 2 CRS의 임상적 지표의 호전 간 직접적 연관성이 상대적으로 떨어진다는 것을 일부 설명할 수 있다. 하지만 이는 추후 추가적인 연구를 통해 밝혀져야 할 것으로 판단된다.

5) 단핵구(monocyte) 및 대식세포(macrophage)

단핵구는 혈액 내에서 상대적으로 소수를 차지하고 있는 면역 세포이며, 혈관 외로 유출되면서 조직에서 대식세포로 분화하여 주 역할을 나타낸다. 활성화된 대식세포는 크게 M1, M2 대식세포로 분류되며, 특히 만성 type 2 염증에서는 증가된 IL-13 및 CCL23에 의해 대식세포가 조직 내로 모이게 되고, M2 대식세포의 형태를 띄게 된다. M2 대식세포는 수지상세포, 미접촉 T세포, Th2세포의 모집과 관련된 CCL18 등의 케모카인을 분비함으로써 type 2 CRS의 병태생리에 기여하는 것으로 알려져 있으나, 추가적인 연구가 필요하다.

6) 림프구(lymphocyte)

(1) T세포(T cell)

Th2 세포는 type 2 CRS에서 증가 되어있으며 병태생리와 가장 밀접한 관련이 있다. 주로 type 2 사이토카인(IL-4, IL-5, IL-13 등)을 분비하여 다른 면역세포를 활성화시키는 것이 가장 큰 역할이며, B세포에서의 면역글로불린 아형의 변화, 점액 분비 등의 역할을 한다.

T세포의 또 다른 아형 중의 하나인 조절 T세포(regulatory T cell, Treg) 중, 특히 CD4+ Treg 세포는 Foxp3를 발현하는 CD4+ T세포로 면역학적 항상성 유지와 면역 관용 등에 중요한 역할을 한다. CRS에서 Treg의 숫자는 정상 비부비동 조직에 비해 줄어들어있는 것으로 알려져 있는데, Treg은 보통 IL-10, transforming growth factor (TGF)-β를 분비하여 ILC2에서 type 2 사이토카인의 생성을 억제하는 역할을 한다.

(2) B세포(B cell)

B세포는 체액성 면역에서 다양한 종류의 면역글로불린의 생산과 증폭과 관련 있으며, 기억 작용과 항원 특이성이 대표적인 면역기전이다. 다양한 작용과 생물학적 변동성으로 인해 B세포에 대한 연구는 기타 세포들에 비해 어려움이 있지만, 특히 type 2 사이토카인이 유도하는 IgE로의 아형의 변화와 이와 관련된 비만세포 생존 증가 및 점막의 항상성 유지 등에 중요한 역할을 하는 것으로 알려져 있다. 또한 B세포 활성화 인자(B cell activating factor, BAFF)가 CRSwNP에서 의미가 있다는 연구결과가 보고되고 이와 관련된 국소 IgE의 형성(local

IgE production)이 CRS의 병태생리와 밀접한 관련이 있다. B세포 및 IgE의 생성이 CRS의 주요 병태생리 기전이며, 이런 내용들은 실제 임상에 사용되고 있는 anti-IgE 생물학적 제제(omalizumab)를 통한 치료적 역할 등에 적용되고 있다.

3. Non-type 2 CRS

1) 전통적인 개념의 CRSsNP

이전부터 CRSsNP는 부비동 자연공 폐쇄로 인한 저산소증과 이와 동반된 변화가 특징인 질환으로 이해되고 있었다. 이렇게 된 이론적인 배경에는 저산소증 자체가 조직 재형성(tissue remodeling) 및 여러 가지 염증세포의 조직 내로의 침윤에 관여를 하고 있기 때문이다. 저산소증과 연관되어 직접적으로 vascular endothelial growth factor (VEGF), TGF-β, nitric oxide synthase, matrix metalloproteinase (MMP)의 발현이 증가하고 상피세포에서의 IL-8, CCL2, CCL4, CCL11, C-X-C motif chemokine ligand (CXCL) 12, intercellular adhesion molecule (ICAM)-1, p-selectin의 발현 또한 저산소증 환경에서 증가하는 것으로 알려져 있다. 이러한 변화는 hypoxia-inducible factor (HIF)1-α에 의해 일부 매개되며, 궁극적으로 조직 내로의 호중구의 축적에 기여한다.

CRSsNP에서는 CRSwNP에 비해 CD8$^+$ T세포가 많다는 것이 밝혀졌고, 이와 관련하여 조직 내로 호중구, ICAM-1 등이 증가하는 것으로 알려져 있다. 게다가 IFN-γ는 높지만 GATA-3, IL-5, IL-10의 발현은 낮다. 병리학적으로 CRSsNP은 섬유증, 기저막 비후 및 술잔세포 증식(goblet cell hyperplasia)이 특징적이다. 섬유증 및 기도 재형성을 촉진하는 TGF-β가 CRSsNP에서는 대조군 조직(control tissue)이나 CRSwNP 조직보다 증가되어 있었다.

2) 다양한 내재형(endotype)

과거에는 CRSsNP의 경우 type 1 염증, CRSwNP에서는 type 2 염증이 지배적인 것으로
여기는 경향이 있었지만, 최근의 연구들에 의하면 CRSsNP 또한 CRSwNP와 마찬가지로 다
양한 내재형이 존재하는 것으로 알려졌다.

2017년 Tan 등은 CRSsNP에서 대조군 조직에 비해 IFN-γ가 차이를 보이지는 않았고, 오
히려 type 2 사이토카인인 IL-5 가 증가하였다는 것을 보고하였고, CRSsNP의 23%, 36%,
15%가 각각 type 1, type 2, type 3 염증반응을 보이고 있어 다양한 내재형으로 구성된다는
것을 발표하였다.

2020년 Delemarre 등에 의하면 CRSsNP로 진단하여 부비동 내시경 수술을 시행한 서
양 환자들로부터 획득한 부비동 조직을 분석한 결과 49%에서 IL-5가 지배적인 type 2 염증
의 특징을 보여주고 있다. Type 2 염증의 지배적인 반응을 보이는 경우, CRSwNP과 마찬가
지로 호산구 증대, *S. aureus* 장독소 특이 IgE가 증가된 소견을 보이고 있으며, non-type 2
CRSsNP보다 천식 발병률이 더 높고, 수술 후 재발도 흔하다. Non-type 2 CRSsNP은 전체
환자 중 51%를 차지하고 있었으며, type 2 CRSsNP 보다 조직 내 IL-17이 유의하게 높았다.

우리나라에서도 비슷한 연구가 있었는데, 사골동 조직(ethmoid tissue)에서 시행한 앞
선 연구와는 달리 구상돌기 조직(uncinate tissue)에서 채취한 시료로 시행한 연구이지만,
CRSsNP의 경우 대조군보다 IL-4, IL-13, ECP, CCL11, CCL24와 같은 type 2 사이토카인
뿐만 아니라, IL-1α, IL-6, IL-8, CXCL1, CXCL2, myeloperoxidase (MPO), IL-17, IL-
22, 그리고 TNF-α와 같은 non-type 2 사이토카인도 증가되어 있는 것이 확인되었다. 특
히 이 중에서 IL-17의 경우 CRSsNP에서 CRSwNP보다 높게 발현되는 것을 확인하였다. 우
리나라의 경우 CRSsNP에서는 non-type 2 사이토카인끼리의 서로 간 상관성이 매우 높고,
특히 CXCL2, IL-8과 같은 사이토카인들은 Lund-Mackay 점수로 표현되는 질병의 중증도
(severity)와 높은 상관성을 보이는 반면, type 2 사이토카인끼리는 서로 간 상관성이 낮고,
중증도와 유의한 상관성은 발견되지 않았다.

3) Non-type 2 CRS의 병태생리

Type 2 CRS에서와 달리 non-type 2 CRS에서 병태생리에 대한 연구는 아직까지는 많지 않다. 낭포성 섬유증, 원발성 섬모운동이상증, 면역결핍과 같은 기저질환이 있는 경우 non-type 2 CRS가 잘 발생하는 것으로 보아 미생물과 같은 외부 병원체의 역할이 있을 것으로 생각되지만, type 2 CRS에서처럼 *S. aureus*와 같은 특정 병원체에 대한 역할이 많이 알려지지는 않았다. 다만 *S. aureus* 혹은 *Pseudomonas*에 대한 생물막(biofilm)이 존재하는 경우 치료결과가 좋지 않다는 것이 알려져 있다.

외부 병원체가 상피세포로 침투하였을 때 톨유사수용체(Toll-like receptor)에 의한 병원체 연관 분자유형(pathogen-associated molecular pattern, PAMP)의 작용으로 상피세포에서 IL-6, IFN-γ, IL-8, TNF-α와 같은 사이토카인의 분비가 증가하는 것으로 알려져 있는데, 상피세포에서 분비된 IFN-γ는 Th1 세포 분화를 유도하며 이는 IFN-γ와 IL-2의 분비를 촉진시킨다. 상피세포에서 분비된 IL-6는 CD4$^+$ T세포의 Th17 및 Th22 세포의 분화를 유도하며, 이들은 IL-17, IL-22의 분비를 증가시킨다. Osteoponin은 세포 외 박테리아 혹은 곰팡이에 의해 자극된 상피세포에서 분비되어 수지상세포에 작용하여 미접촉 T세포의 IL-17 IL-22, IL-23을 분비하는 Th17 세포로의 분화를 유도하는 것으로 알려져 있다.

Type 2 CRS와 non-type 2 CRS는 T 세포 관점에서 전반적인 차이를 보인다. CD4$^+$ T세포, CD8$^+$ T세포가 type 2 CRSwNP에 비해 non-type 2 CRSwNP에서 증가되어 있으며 이와 관련하여 Th1 및 Th17 세포 분화의 전사인자(transcription factor)인 T-bet, RORc 도 non-type 2 CRSwNP에서 발현이 증가되어 있다. 또한 non-type 2 CRSwNP에서는 IFN-γ, IL-17 양성인 CD8$^+$ T세포가 type 2 CRSwNP에 비해 많이 발견되고 이들의 빈도와 조직 내 호중구의 침윤 정도가 비례하는 것으로 알려져 있어서 CD8$^+$ T세포의 역할이 중요할 것으로 생각된다.

4) Difficult-to-treat non-type 2 CRS: 호중구성(neutrophilic) CRS

난치성 type 2 CRS의 내재형에 관한 연구와 마찬가지로, non-type 2 CRS에서도 난치성 내재형이 발견되고 있다. 특히 호중구가 증가된 경우, type 2와 non-type 2 CRS 모두 치료가 어려운 것으로 알려져 있다. 최근 몇몇의 연구들에서 neutrophil elastase, IL-8과 같은 호중구성 염증반응을 의미하는 표지자들이 높을수록 CRS의 치료 결과가 좋지 않음을 시사한다. 호중구에서 분비되는 elastase에 의해 IL-1β, IL-33, IL-36γ와 같은 IL-1 관련 사이토카인(IL-1 family)이 활성화되는 것으로 알려져 있으며, IL-36γ은 상피세포에서 분비되는 단백질로 호중구에 다시 작용하여 IL-17의 분비를 촉진시키는데, 이렇게 증가된 IL-17은 상피세포에 다시 작용하여 IL-36γ의 발현을 증가시키며, CXCL1, CXCL2, CXCL8 과 같은 호중구 케모카인의 생성을 촉진시킨다. 호중구는 MMP를 많이 생성해내는데 이는 아마도 창상 치유 및 조직 재생에 영향을 미쳐 ESS 후에도 치료 결과가 좋지 않을 수 있음을 시사한다.

IL-17은 호중구의 활성화와 조직 내 모집에 관여하기 때문에 non-type 2 CRS에서 호중구와 관련된 염증성 사이토카인은 type 3 염증반응이라고 할 수 있지만, 호중구에서 type 1 염증의 대표적인 사이토카인인 IFN-γ가 많이 분비되며, 호중구에서 분비된 elastase와 cathepsin G에 의해 IL-1β 및 IL-33이 활성화되어 type 2 염증을 유발시키는 중요한 역할을 하는 것으로 알려져 있다. 대표적인 type 2 사이토카인인 IL-4도 호중구의 생존을 늘린다고 보고되었다. 따라서 호중구성 염증반응은 type 1, type 2, type 3 염증과 모두 연관되어 있는 것으로 이해할 수 있다. 호중구에서 분비되는 oncostatin M (OSM)은 상피세포의 복구와 상피세포의 방어장벽 재생에 중요한 조절 인자로, OSM이 많거나 줄어들게 되면 상피세포의 방어장벽 기능이 저하될 수 있다.

Non-type 2 CRS의 경우 호중구성 염증이 나이가 젊을수록 높아진다고 알려져 있으며, 젊은 환자들의 경우 치료 성적이 더 나빴다. 이 외에도 흡연이 영향을 미칠 수 있으며, 흡연은 leukotriene A4 hydrolase를 선택적으로 억제하는 효과가 있으며 이로 인해 호중구의 케모카인인 Pro-Gly-Pro (PGP)가 증가한다. 흡연은 또한 대식세포, natural killer (NK) 세포 에서의 ST2 발현을 촉진시켜 IL-33에 대하여 type 1 염증반응을 촉진시킨다.

4. Fibrin 침착(deposition)

CRSwNP의 병태 생리학적 기전 중 중요한 부분을 차지하고 있는 것이 혈액응고 과정(co-agulation cascade) 이상과 관련된 fibrin 침착, 그리고 이로 인한 조직부종이다. Fibrin 침착은 이를 분해하는 t-PA (tissue plasminogen activator)의 발현과 연관되어 있다. t-PA의 발현조절은 type 2 CRSwNP에서 잘 알려져 있는데, type 2 CRSwNP에서 t-PA가 많이 감소되어있고, 조직 내 ECP와 뚜렷한 음의 상관 관계가 있다. 게다가 IL-4, IL-13으로 비강 상피세포를 자극하였을 때 용량 의존적으로(dose-dependent) t-PA가 감소되는 것을 볼 수 있다. 하지만 non-type 2 CRS에서도 비용종이 동반되듯이 non-type 2 염증에서도 fibrin 침착이 높아지는 것이 발견되었고, 조직 내 type 1 사이토카인인 IFN-γ, IL-8, MPO의 농도가 증가할수록 t-PA가 유의하게 감소하였고 fibrin 침착이 증가하는 것을 볼 수 있었다. 특히 IFN-γ의 경우 비강 상피세포를 자극하였을 때 IL-4와 마찬가지로 t-PA가 용량 의존적으로 감소하였다. 하지만 type 2 CRSwNP, non-type 2 CRSwNP에서 fibrin 침착이 모두 증가하였다고 해서 모두 비슷한 조직학적 소견을 보이는 것은 아니다. Non-type 2 CRSwNP는 type 2 CRSwNP에 비해 침윤된 염증세포가 적으며, Ki-67과 같은 상피증식표지자(epithelial proliferation marker)들이 더 증가해 있으며, 가성낭종(pseudocyst)이 더 많이 발견되는 경향이 있다.

References

- Ahern S, Cervin A. Inflammation and Endotyping in Chronic Rhinosinusitis-A Paradigm Shift. Medicina (Kaunas) 2019;55(4).

- Artis D, Spits H. The biology of innate lymphoid cells. Nature 2015;517(7534):293-301.

- Baba S, Kagoya R, Kondo K, Suzukawa M, Ohta K, Yamasoba T. T-cell phenotypes in chronic rhinosinusitis with nasal polyps in Japanese patients. Allergy Asthma Clin Immunol 2015;11:33.

- Bachert C, Zhang N. Medical algorithm: Diagnosis and treatment of chronic rhinosinusitis. Allergy 2020;75(1):240-2.

- Bochner BS, Stevens WW. Biology and Function of Eosinophils in Chronic Rhinosinusitis With or Without Nasal Polyps. Allergy Asthma Immunol Res 2021;13(1):8-22.

- Cai-Ling Chen, Yu-Ting Wang, Yin Yao, Li Pan, Bei Guo, Ke-Zhang Zhu, *et al.* Inflammatory Endotypes and Tissue Remodeling Features in Antrochoanal Polyps. Allergy Asthma Immunol Res 2021;13(5):e75.

- Cao P-P, Li H-B, Wang B-F, Wang S-B, You X-J, Cui Y-H, *et al.* Distinct immunopathologic characteristics of various types of chronic rhinosinusitis in adult Chinese. Journal of allergy and clinical immunology 2009;124(3):478-84. e2.

- Chakravarti A, Rusu D, Flamand N, Borgeat P, Poubelle PE. Reprogramming of a subpopulation of human blood neutrophils by prolonged exposure to cytokines. Lab Invest 2009;89(10):1084-99.

- Chen JB, James LK, Davies AM, Wu YB, Rimmer J, Lund VJ, *et al.* Antibodies and superantibodies in patients with chronic rhinosinusitis with nasal polyps. J Allergy Clin Immunol 2017;139(4):1195-204 e11.

- Cho JS, Kang JH, Um JY, Han IH, Park IH, Lee HM. Lipopolysaccharide induces pro-inflammatory cytokines and MMP production via TLR4 in nasal polyp-derived fibroblast and organ culture. PLoS One 2014;9(11):e90683.

- Clancy DM, Henry CM, Sullivan GP, Martin SJ. Neutrophil extracellular traps can serve as platforms for processing and activation of IL-1 family cytokines. FEBS J 2017;284(11):1712-25.

- Delemarre T, Holtappels G, De Ruyck N, Zhang N, Nauwynck H, Bachert C, *et al.* Type 2 inflammation in chronic rhinosinusitis without nasal polyps: Another relevant endotype. J Allergy Clin Immunol 2020;146(2):337-43 e6.

- Delemarre T, Holtappels G, De Ruyck N, Zhang N, Nauwynck H, Bachert C, *et al.* A substantial neutrophilic inflammation as regular part of severe type 2 chronic rhinosinusitis with nasal polyps. J Allergy Clin Immunol 2021;147(1):179-88 e2.

- Fokkens WJ, Lund VJ, Hopkins C, Hellings PW, Kern R, Reitsma S, *et al.* European Position Paper on Rhinosinusitis and Nasal Polyps 2020. Rhinology 2020;58(Suppl S29):1-464.

- Gevaert E, Delemarre T, De Volder J, Zhang N, Holtappels G, De Ruyck N, *et al.* Charcot-Leyden crystals promote neutrophilic inflammation in patients with nasal polyposis. Journal of Allergy and Clinical Immunology 2020;145(1):427-30. e4.

- Gevaert P, Calus L, Van Zele T, Blomme K, De Ruyck N, Bauters W, *et al.* Omalizumab is effective in allergic and nonallergic patients with nasal polyps and asthma. J Allergy Clin Immunol 2013;131(1):110-6 e1.

- Gevaert P, Hellman C, Lundblad L, Lundahl J, Holtappels G, van Cauwenberge P, *et al.* Differential expression of the interleukin 5 receptor alpha isoforms in blood and tissue eosinophils of nasal polyp patients. Allergy 2009;64(5):725-32.

- Gevaert P, Van Bruaene N, Cattaert T, Van Steen K, Van Zele T, Acke F, *et al.* Mepolizumab, a humanized anti-IL-5 mAb, as a treatment option for severe nasal polyposis. J Allergy Clin Immunol 2011;128(5):989-95.e1-8.

- Hwang CS, Park SC, Cho HJ, Park DJ, Yoon JH, Kim CH. Eosinophil extracellular trap formation is closely associated with disease severity in chronic rhinosinusitis regardless of nasal polyp status. Sci Rep 2019;9(1):8061.

- Kearley J, Silver JS, Sanden C, Liu Z, Berlin AA, White N, *et al.* Cigarette smoke silences innate lymphoid cell function and facilitates an exacerbated type I interleukin-33-dependent response to infection. Immunity 2015;42(3):566-79.

- Kim DK, Kim JY, Han YE, Kim JK, Lim HS, Eun KM, *et al.* Elastase-Positive Neutrophils Are Associated With Refractoriness of Chronic Rhinosinusitis With Nasal Polyps in an Asian Population. Allergy Asthma Immunol Res 2020;12(1):42-55.

- Kim DW, Eun KM, Roh EY, Shin S, Kim DK. Chronic Rhinosinusitis without Nasal Polyps in Asian Patients Shows Mixed Inflammatory Patterns and Neutrophil-Related Disease Severity. Mediators Inflamm 2019;2019:7138643.

- Kim DW, Kim DK, Jo A, Jin HR, Eun KM, Mo JH, et al. Age-Related Decline of Neutrophilic Inflammation Is Associated with Better Postoperative Prognosis in Non-eosinophilic Nasal Polyps. PLoS One 2016;11(2):e0148442.

- Kim R, Chang G, Hu R, Phillips A, Douglas R. Connexin gap junction channels and chronic rhinosinusitis. Int Forum Allergy Rhinol 2016;6(6):611-7.

- Krysko O, Holtappels G, Zhang N, Kubica M, Deswarte K, Derycke L, et al. Alternatively activated macrophages and impaired phagocytosis of S. aureus in chronic rhinosinusitis. Allergy 2011;66(3):396-403.

- Lee M, Kim DW, Khalmuratova R, Shin SH, Kim YM, Han DH, et al. The IFN-gamma-p38, ERK kinase axis exacerbates neutrophilic chronic rhinosinusitis by inducing the epithelial-to-mesenchymal transition. Mucosal Immunol 2019;12(3):601-11.

- Li X, Meng J, Qiao X, Liu Y, Liu F, Zhang N, et al. Expression of TGF, matrix metalloproteinases, and tissue inhibitors in Chinese chronic rhinosinusitis. J Allergy Clin Immunol 2010;125(5):1061-8.

- Li Y, Wang X, Wang R, Bo M, Fan E, Duan S, et al. The expression of epithelial intercellular junctional proteins in the sinonasal tissue of subjects with chronic rhinosinusitis: a histopathologic study. ORL J Otorhinolaryngol Relat Spec 2014;76(2):110-9.

- Liao B, Liu JX, Li ZY, Zhen Z, Cao PP, Yao Y, et al. Multidimensional endotypes of chronic rhinosinusitis and their association with treatment outcomes. Allergy 2018;73(7):1459-69.

- Muniz VS, Silva JC, Braga YAV, Melo RCN, Ueki S, Takeda M, et al. Eosinophils release extracellular DNA traps in response to Aspergillus fumigatus. J Allergy Clin Immunol 2018;141(2):571-85.e7.

- Patou J, Holtappels G, Affleck K, van Cauwenberge P, Bachert C. Syk-kinase inhibition prevents mast cell activation in nasal polyps. Rhinology 2011;49(1):100-6.

- Persson EK, Verstraete K, Heyndrickx I, Gevaert E, Aegerter H, Percier J-M, et al. Protein crystallization promotes type 2 immunity and is reversible by antibody treatment. Science 2019;364(6442).

- Poposki JA, Uzzaman A, Nagarkar DR, Chustz RT, Peters AT, Suh LA, et al. Increased expression of the chemokine CCL23 in eosinophilic chronic rhinosinusitis with nasal polyps. J Allergy Clin Immunol 2011;128(1):73-81 e4.

- Pothoven KL, Norton JE, Suh LA, Carter RG, Harris KE, Biyasheva A, et al. Neutrophils are a major source of the epithelial barrier disrupting cytokine oncostatin M in patients with mucosal airways disease. J Allergy Clin Immunol 2017;139(6):1966-78.e9.

- Psaltis AJ, Weitzel EK, Ha KR, Wormald PJ. The effect of bacterial biofilms on post-sinus surgical outcomes. Am J Rhinol 2008;22(1):1-6.

- Rosenberg HF, Dyer KD, Foster PS. Eosinophils: changing perspectives in health and disease. Nat Rev Immunol 2013;13(1):9-22.

- Shi LL, Xiong P, Zhang L, Cao PP, Liao B, Lu X, *et al.* Features of airway remodeling in different types of Chinese chronic rhinosinusitis are associated with inflammation patterns. Allergy 2013;68(1):101-9.

- Shin SH, Kim YH, Jin HS, Kang SH. Alternaria Induces Production of Thymic Stromal Lymphopoietin in Nasal Fibroblasts Through Toll-like Receptor 2. Allergy Asthma Immunol Res 2016;8(1):63-8.

- Shun CT, Lin SK, Hong CY, Huang HM, Liu CM. Hypoxia induces cysteine-rich 61, vascular endothelial growth factor, and interleukin-8 expressions in human nasal polyp fibroblasts: An implication of neutrophils in the pathogenesis of nasal polyposis. Am J Rhinol Allergy 2011;25(1):15-8.

- Snelgrove RJ, Jackson PL, Hardison MT, Noerager BD, Kinloch A, Gaggar A, *et al.* A critical role for LTA4H in limiting chronic pulmonary neutrophilic inflammation. Science 2010;330(6000):90-4.

- Steinke JW, Woodard CR, Borish L. Role of hypoxia in inflammatory upper airway disease. Curr Opin Allergy Clin Immunol 2008;8(1):16-20.

- Stevens WW, Kato A. Group 2 innate lymphoid cells in nasal polyposis. Ann Allergy Asthma Immunol 2021;126(2):110-7.

- Sun D, Matsune S, Ohori J, Fukuiwa T, Ushikai M, Kurono Y. TNF-alpha and endotoxin increase hypoxia-induced VEGF production by cultured human nasal fibroblasts in synergistic fashion. Auris Nasus Larynx 2005;32(3):243-9.

- Suzuki H, Koizumi H, Ikezaki S, Tabata T, Ohkubo J, Kitamura T, *et al.* Electrical Impedance and Expression of Tight Junction Components of the Nasal Turbinate and Polyp. ORL J Otorhinolaryngol Relat Spec 2016;78(1):16-25.

- Tan BK, Klingler AI, Poposki JA, Stevens WW, Peters AT, Suh LA, *et al.* Heterogeneous inflammatory patterns in chronic rhinosinusitis without nasal polyps in Chicago, Illinois. J Allergy Clin

Immunol 2017;139(2):699-703 e7.

- Toppila-Salmi S, van Drunen CM, Fokkens WJ, Golebski K, Mattila P, Joenvaara S, *et al.* Molecular mechanisms of nasal epithelium in rhinitis and rhinosinusitis. Curr Allergy Asthma Rep 2015;15(2):495.

- Tsai YJ, Chi JC, Hao CY, Wu WB. Peptidoglycan induces bradykinin receptor 1 expression through Toll-like receptor 2 and NF-kappaB signaling pathway in human nasal mucosa-derived fibroblasts of chronic rhinosinusitis patients. J Cell Physiol 2018;233(9):7226-38.

- Van Bruaene N, Derycke L, Perez-Novo CA, Gevaert P, Holtappels G, De Ruyck N, *et al.* TGF-beta signaling and collagen deposition in chronic rhinosinusitis. J Allergy Clin Immunol 2009;124(2):253-9, 9 e1-2.

- Van Zele T, Claeys S, Gevaert P, Van Maele G, Holtappels G, Van Cauwenberge P, *et al.* Differentiation of chronic sinus diseases by measurement of inflammatory mediators. Allergy 2006;61(11):1280-9.

- Wang H, Li ZY, Jiang WX, Liao B, Zhai GT, Wang N, *et al.* The activation and function of IL-36gamma in neutrophilic inflammation in chronic rhinosinusitis. J Allergy Clin Immunol 2018;141(5):1646-58.

- Watelet JB, Demetter P, Claeys C, Cauwenberge P, Cuvelier C, Bachert C. Wound healing after paranasal sinus surgery: neutrophilic inflammation influences the outcome. Histopathology 2006;48(2):174-81.

IV

만성 비부비동염의 약물치료

만성 비부비동염의 약물치료
4-1. 항생제

임상철, 이동훈

Graphic abstract

만성 비부비동염의 약물 치료 – 항생제

Short-term oral antibiotics	No recommendation
Long-term oral antibiotics (macrolide)	Option
Topical antibiotics	Recommendation against
Intravenous antibiotics	Recommendation against

---

1. 단기간 경구 항생제 요법

1) 정의

만성 비부비동염(chronic rhinosinusitis, CRS)에서 단기간 경구 항생제 요법의 정의는 항생제 사용 기간이 4주 이내인 경우이다. 단기간 경구 항생제 요법에 대해서는 CRS와 CRS의 급성악화(acute exacerbation)에서 각각 1개씩의 위약 대조 연구가 있으며(표 4-1-1), 7개의 항생제 요법을 비교한 연구가 있다(표 4-1-2).

2) 임상 연구

(1) 단기간 경구 항생제 요법과 위약 간의 비교 연구

표 4-1-1. Short-term antibiotics for the treatment of patients with CRS. (European Position Paper on Rhinosinusitis and nasal polyps 2020. Rhinology; 2020 58: 1-464: Fokkens WJ, Lund VJ, Hopkins C, Hellings P, *et al.*)

Study	Methods	Participants	Interventions	Outcomes	Results
Sabino 2017	DBPCT	32 patient (> 18 years of age) with acute on chronic exacerbation of CRSsNP (n=12) or CRSwNP (n=20)	• Amoxicillin-clavulanate 875 mg/125 mg, orally, twice daily for 14 days (n=21) • Placebo twice daily for 14 days (n=11)	• Visual Analog Scale Severity Scoring of clinical symptoms at 2 wks • Nasal endoscopy at 2 wks • Middle meatus swab at 2 wks • Lund-Kennedy scores at 2 wks • SNOT-22 at 2 wks and 3 months	• No significant difference in symptoms scores, SNOT-22, endoscopy scores or bacteriologic eradication at day 14 compared to baseline in the 2 treatment groups • No significant differences in SNOT-22 at 3 months
Van Zele 2010	DBPCT	47 patients with recurrent bilateral nasal polyps after surgery or massive bilateral nasal polyps (grade 3 or 4)	• Oral methylprednisolone (32 mg/d on days 1-5; 16 mg/d on days 6-10; and 8 mg/d on days 11-20) (n=19) • Oral doxycycline (200 mg on day 1,100 mg/d on days 2-20) (n=14) • Placebo for 20 days (n=14)	• Nasal symptoms (anterior rhinorrhoea, nasal obstruction, postnasal drip, and loss of sense of smell) at 1, 2, 4, 8, and 12 weeks • Total nasal polyp score (0-8) at 1, 2, 4, 8, and 12 weeks • Nasal peak inspiratory flow at 1, 2, 4, 8, and 12 weeks • Serum eosinophil counts and serum ECP • IL-5, IgE, MMP-9, MPO and ECP in nasal secretions	Doxycycline treatment compared to placebo resulted in: • Significantly reduced postnasal drip symptom scores at week 2 (p=0.044) • Trend of reduction in rhinorrhoea at 8 wks (p=0.058) • No significant differences in all other symptoms and time points. • Small (0.5 on scale of 8) but significant reduction in nasal polyp size for 3 months compared to placebo (p=0.015). • No significant increase in PNIF over the entire study period for doxycycline-treated group. • Significant reduction in MPO in nasal secretions for 2 months and MMP-9 for 2 weeks

CRSWNP, chronic rhinosinusitis with nasal polyps; CRSsNP, chronic rhinosinusitis without nasal polyps; DBPCT, double-blind placebo controlled trial; ECP, eosinophil cationic protein; MMP-9, Matrix metalloproteinase-9; MPO, myeloperoxidase; PNIF, peak nasal inspiratory flow; SNOT, Sino-nasal Outcome Test.

CRS의 급성악화는 CRS 환자에서 지난 4주 동안 갑자기 악화된 콧물, 코막힘, 후각저하, 얼굴 통증 등의 비부비동 증상이 있는 경우로 정의하였다. CRS의 급성 악화에서 2주간의 amoxicillin/clavulanate와 위약의 치료 효과를 비교하였을 때, 두 군 간의 증상 점수, 내시경 소견, 삶의 질 설문지(SNOT-22)에서 차이가 없었다. 비용종을 동반한 만성 비부비동염 (chronic rhinosinusitis with nasal polyp, CRSwNP) 환자에서 doxycycline과 위약을 20일동안 투약한 결과, doxycycline 치료군에서 일부 증상(후비루, 콧물)과 몇 가지 염증 지표가 개선되었으나 그 효과가 오래 지속되지는 않았다. 따라서, 해당 연구들을 통해 CRS 단기간 경구 항생제 요법이 위약보다 유의한 효과가 없음을 증명하였다. 그러나 2015년 미국 이비인후과학회(the American Academy of Otolaryngology-Head and Neck Surgery Foundation)에서 발표한 임상진료지침에서는 CRS 환자의 급성 악화에서 지속적인 화농성 콧물이 있는 경우 항생제 사용을 권고하고 있다.

(2) 단기간 경구 항생제 요법 간의 비교 연구

표 4-1-2. Comparison of various short-term antibiotics for the treatment of patients with CRS. (European Position Paper on Rhinosinusitis and nasal polyps 2020. Rhinology; 2020 58: 1-464: Fokkens WJ, Lund VJ, Hopkins C, Hellings P, *et al.*)

Study	Methods	Participants	Interventions	Outcomes	Results
Fan 2014	Open-label, parallel group randomized clinical trial	43 patients (> 20 years of age) with CRSsNP	• Clarithromycin 250 mg daily for 14 days (n=20) • Clarithromycin 500 mg twice daily for 7 days, then 250 mg twice daily for 7 days (n=23)	At 2 and 4 weeks • Nasal symptom assessment • Endoscopic inspection (Lund-Kennedy scores) • SNOT-20 • Interleukin-5 levels in nasal secretions • Interleukin-8 levels in nasal secretions	High-dose group demonstrated: • Significant improvement in nasal symptom scores, Lund-Kennedy and SNOT-20 at weeks 2 and 4 compared with the baseline values and low dose group • IL-8 levels in nasal secretions were significantly decreased at weeks 2 and 4 compared with the baseline values and low-dose group values • IL-5 levels were significantly decreased at weeks 2 and 4 compared with the baseline values and the low-dose group values
Amini 2009	Parallel group randomized clinical trial	59 CRS patients	• Clarithromycin 500 mg daily for 3 weeks (n=30) • Amoxicillin clavulanate 625 mg three times daily for 3 weeks (n=29)	• Clinical efficacy at 7, 17, 21, 28, 42 and 56 days • Radiographic status at 8 weeks • Adverse effects	• No statistically significant differences in clinical improvement of symptoms or adverse events between treatment groups
Jareoncharsri 2004[12]	Open, parallel group randomized clinical trial	60 patients (> 16 years of age) with acute maxillary sinusitis (N=48) and acute exacerbation of CRS (N=12)	• Levofloxacin 300 mg daily for 14 days (n=34) • Amoxicillin clavulanate 625 mg three times daily for 14 days (n=26)	• Clinical response at day 4 and 21 • Plain film radiologic evaluation at day 14 • Bacteriologic efficacy at day 14 • Adverse drug reactions at day 14 • Laboratory tests at and 14 • Vital signs at day 14	• Mean total symptom score at 21 days, radiologic improvement, bacteriologic eradication, laboratory tests, vital signs and adverse events at 14 days were comparable between both groups. • Subgroup analysis of chronic sinusitis group not performed

Study	Methods	Participants	Interventions	Outcomes	Results
Namyslowski 2002	Open, parallel group randomized clinical trial	231 patients (> 18 years of age) with CRS or acute exacerbation on of CRS	• Amoxicillin clavulanate 875/125 mg twice daily for 14 days (n=115) • Cefuroxime 500 mg twice daily for 14 days (n=116)	• Clinical response at day 3 to 5, 15 to 18, week 2 to 4 • Treatment compliance at day 15 to 18 • Bacteriologic response at day 15 to 18 • Global severity of infection week 2 to 4 • Adverse events	• No significant difference in clinical cure rates or bacteriologic eradication between the amoxicillin–clavulanate treatment group vs. the cefuroxime treatment group at day 15–18. • Significant improvement in symptoms of infection at day 3 to 5 in the amoxicillin clavulanate group compared to cefuroxime (81% vs. 56%; p=0.0137) • Persistent, purulent nasal discharge following treatment was noted to be significantly higher in the cefuroxime group at day 3–5 (3% vs. 129%; p=0.036). • Clinical relapse at week 2 to 4 was significantly higher in the cefuroxime group in the clinically evaluable patients (0% vs. 8%; p=0.0049) and the intention-to-treat population (0.09% vs. 7%; p=0.03). • Adverse events were comparable between the 2 treatment groups. Diarrhoea was the most common adverse event observed in both treatment groups.
Namyslowski 1998	Parallel group Randomized clinical trial	115 patients (> 18 years of age) with unilateral or bilateral CRS	• Amoxicillin clavulanate 875/125 mg twice daily for 14 days (n=55) • Cefuroxime 500 mg twice daily for 14 days (n=56)	• Clinical efficacy evaluated at week 2 to 4 • Bacteriologic response evaluated at week 2 to 4 • Adverse events	• No significant difference in the observed rates of clinical cure or bacteriologic eradication in the amoxicillin-clavulanate group as compared to the cefuroxime group at week 2 to 4 • Adverse events (that is, diarrhoea) were comparable between the 2 treatment groups.
Legent 1994	Double-blind, parallel group, double-placebo randomized clinical trial	251 patients (> 18 years of age) with unilateral or bilateral CRSsNP	• Ciprofloxacin 500 mg twice daily for 9 days (n=122) • Amoxicillin clavulanate 500 mg three times daily for 9 days (n=129)	• Clinical efficacy at day 10 and 40 • Bacteriologic eradication at day 10 and 40 • Clinical tolerance at day 10 • Adverse events	• Ciprofloxacin and amoxicillin clavulanate had similar clinical cure rates (58.6% vs. 51.2%) and bacteriologic clearance rates (88.9% vs. 90.5%). • Endoscopy at day 10 showed purulent discharge in the middle meatus had cleared in a higher proportion of ciprofloxacin–treated patients (p=0.05) • Inflammatory reaction on endoscopy at day 10 resolved in a higher proportion of amoxicillin clavulanate–treated patients (p=0.04). • Patients with a positive culture who received ciprofloxacin were more likely to maintain bacteriologic clearance at 40 days post–treatment (83.3% vs. 67.6%, p=0.043). • Ciprofloxacin–recipients had lower adverse events (12.4% vs. 25%, p=0.012)
Huck 1993	Parallel-group randomized clinical trial	56 acute rhinosinusitis, 25 recurrent rhinosinusitis, 15 chronic maxillary sinusitis	• Cefaclor 500 mg twice daily for 10days (n=5) • Amoxicillin 500 mg 3 times daily for 10 days (n=10)	• Clinical evaluation at day 2, 16 to 18 • Sinus X-rays at day 16 to 18 • Adverse events	• No significant differences between the groups in the CRS group

CRS, chronic rhinosinusitis; CRSsNP, chronic rhinosinusitis without nasal polyps; IL, interleukin; SNOT, Sino-nasal Outcome Test.

항생제의 약제 간 비교 연구에서는 일부 약제가 증상의 호전에 더 효과적이라고 비교하였으나, 대부분의 연구에서는 두 약제 사이의 유의미한 차이는 없었다. 단기간의 ciprofloxacin과 amoxicillin/clavulanate를 비교한 연구에서 두 약제 모두 치료 효과는 비슷하였으나, ciprofloxacin 치료군이 농성 분비물의 감소, 제균 유지(maintain bacteriologic clearance)에 더 효과적이며 부작용이 적다고 보고하였다. Clarithromycin과 amoxicillin/clavulanate를 비교하였을 때, 약제 간의 증상 호전 정도와 부작용 발생 빈도에는 차이가 없었다. 비용종을 동반하지 않은 만성 비부비동염(chronic rhinosinusitis without nasal polyp, CRSsNP) 환자에서 저용량 및 고용량 clarithromycin 비교 연구에서는 고용량 치료군이 증상 개선에 더 효과적이라고 보고하였다. Amoxicillin/clavulanate와 cefuroxime을 비교한 두 개의 논문에서 임상적 치료율(cure rate)는 차이가 없었으나, 치료 초기(3-5일)에는 amoxicillin/clavulanate가 증상 호전에 조금 더 효과적인 것으로 보고하였다. 급성 비부비동염(acute rhinosinusitis, ARS)과 CRS 환자에 대한 10일간의 cefaclor와 amoxicillin 비교 연구에서도 증상개선에 대한 유의한 차이는 없었다. Levofloxacin과 amoxicillin/clavulanate를 비교한 논문에서도 두 약제 모두 증상의 개선을 보였으나 두 약제 간 유의한 차이는 없었다.

3) 결론

CRS의 급성 악화에서 단기간 경구 항생제 요법은 설사와 식욕부진과 같은 위장관 문제를 고려하여야 하며 위약 치료군대비 치료 효과에 대한 최종적인 결론을 내리기에는 아직 연구가 부족하다.

2. 장기간 경구 항생제 요법

1) 정의

항생제 사용 기간이 4주 이상인 경우를 장기간 경구 항생제 요법이라고 정의하였으며, 주로 사용되는 약제는 macrolide 계열의 항생제이다.

2) 임상 연구

(1) Macrolide와 위약 간의 비교 연구

표 4-1-3. Long-term antibiotics for the treatment of patients with CRS. (European Position Paper on Rhinosinusitis and nasal polyps 2020. Rhinology; 2020 58: 1-464: Fokkens WJ, Lund VJ, Hopkins C, Hellings P, *et al.*)

Study	Methods	Participants	Interventions	Outcomes	Results
Videler 2011	DBPCT	60 CRSwNP and CRSsNP	• Azithromycin 500 mg weekly for 12 weeks (n=29) • Placebo weekly for 12 weeks (n=31)	All assessed at 6, 12, 14 weeks • Patient response rating scale (1-5, 1 desperately worse, four cured) • SNOT-22 • VAS (nasal obstruction, rhinorrhea, PND, facial pain, smell reduction, general health, headache, toothache, tear, coughing, nasal bleeding, crusts, fatigue, nausea, vomiting/diaorrhea) • SF-36 • Endoscopy scores • PNIF • Olfaction • Cultures	No significant effects
Wallwork 2006	DBPCT	64 CRSsNP	• Roxithromycin 150 mg daily for 12 weeks (n=29) • Placebo daily for 12 weeks (n=35)	All at 12 weeks • Patient Response rating Scale (1-6, 1 completely improved, 6 much worse) • SNOT-20 • PNIF • Saccharin transit time • Olfaction • Endoscopy • IL-8, fucose, alpha2-macroglobulin	Significant effect on SNOT-20, endoscopy, saccharin transit time. Subgroup analysis on low vs. high IgE levels found 93% improvement in the low IgE group

CRSwNP, chronic rhinosinusitis with nasal polyps; CRSsNP, chronic rhinosinusitis without nasal polyps; DBPCT, double-blind placebo-controlled trial; IL, interleukin; IgE, immunoglobulin E; PND, post-nasal drip; PNIF, peak nasal inspiratory flow; SF-36, Short-Form 36;SNOT, Sino-nasal Outcome Test; VAS, visual analogue scale.

Macrolide 항생제는 항균 및 항염증 작용을 통해 염증 지표들을 감소시키고, 점액의 성상을 변화시키며 부비동염의 내시경 및 영상 소견을 호전시킨다고 보고되었다. 두 개의 위약 비교 연구는 등록된 환자 수는 비슷하지만 환자군과 약제 및 용법이 서로 다르다(표 4-1-3). Roxithromycin을 투약한 연구에서는, 특히 IgE 수치가 낮은 군(< 200 μg)에서 사카린 통과 시간(saccharin transit time), 비내시경 소견, 콧물의 IL-8 수치가 감소한 것으로 보고하였다. 하지만 두 연구 모두 증상 점수(SNOT-22 또는 SNOT-20)에서 유의한 차이가 없었다. 따라서 macrolide 치료군은 위약 치료군보다 증상개선에 유의한 이점이 없으나 염증 관련 지표 및 소견의 호전을 보일 수 있어, macrolide 치료에 있어서는 환자군의 선택이 중요하

다고 할 수 있겠다. 2020년 중국에서 발표한 CRS 가이드라인에서는 long-term, low-dose macrolide 치료는 호중구 염증이 있고 IgE 수치가 낮은 CRSsNP 환자에서 권유하였다. 추가로, 스테로이드에 저항성이 있는 CRSwNP 또는 호중구가 주를 이루는 비용종에서도 long-term, low-dose macrolide 치료를 고려할 수 있다. 추가적으로, 2015년 AAO 임상지료지침에서는 CRSsNP 환자에게는 장기간 경구항생제 사용이 도움이 될 수 있다는 내용을 선택적 사용으로 권고하였다.

(2) Macrolide와 국소 steroid 간의 비교 연구

표 4-1-4. Long-term antibiotics versus topical corticosteroids for the treatment of patients with CRS. (European Position Paper on Rhinosinusitis and nasal polyps 2020. Rhinology; 2020 58: 1-464: Fokkens WJ, Lund VJ, Hopkins C, Hellings P, *et al.*)

Study	Methods	Participants	Interventions	Outcomes	Results
Amali 2017	DBPCT	66 CRSwNP and CRSsNP (60 analysed)	• Azithromycin 250 mg once daily for 12 weeks (n=20) • Placebo once daily for 12 weeks (n=40) All patients received fluticasone proprioanate 100 mcg twice daily	• SNOT-22 at 12 weeks	Significant improvement in SNOT-22 scores in azithromycin group over fluticasone
Haxel 2015	DBPCT	58 CRSsNP and CR SwNP post-operatively	• Erythromycin 250 mg once daily for 12 weeks (n=29) • Placebo 250 mg once daily for 12 weeks (n=29) All patients received fluticasone fuorate 27.5 mcg once daily	Assessed at 12 and 24 weeks • ECP • MPO • SNOT-20 • Olfaction • Saccharin transit time • Nasal endoscopy score • Nasal health self-rate	No significant improvement in SNOT-22, olfaction, STT, endoscopy scores, or nasal health. Trend towards improvement in CRSsNP subgroup on erythromycin, but only endoscopy score was significant.

CRSsNP, chronic rhinosinusitis without nasal polyps; CRSwNP, chronic rhinosinusitis with nasal polyps; DBPCT, Double-blind placebo-controlled trial; ECP, eosinophil cationic protein; MPO, myeloperoxidase; SNOT, Sino-nasal Outcome Test; STT, saccharin transit time.

CRS 환자에게 수술 후 fluticasone furoate를 사용하면서 erythromycin을 12주간 투약한 경우 위약과 비교하여 유의한 차이는 없었으며, CRSsNP 환자군에서 비내시경 소견만

이 유의한 호전을 보였다(표 4-1-4). Fluticasone propionate를 사용하는 CRS 환자에서 azithromycin과 위약을 비교하였을 때 SNOT-22 점수가 유의하게 개선되었으나, 두 연구의 SNOT 점수에 대한 메타분석을 시행한 결과 유의한 차이가 없었다[standard mean difference 0.21 (-1.28, 2.09), p = 0.83].

[3] Macrolide와 수술 간의 비교 연구

표 4-1-5. Long-term antibiotics versus surgery for the treatment of patients with CRS. (European Position Paper on Rhinosinusitis and nasal polyps 2020. Rhinology;2020 58:1-464: Fokkens WJ, Lund VJ, Hopkins C, Hellings P, *et al.*)

Study	Methods	Participants	Interventions	Outcomes	Results
Peric, 2014	RCT	80 CRSwNP	• Clarithromycin 500 mg daily x 8 weeks followed by surgery (n=40) • Surgery alone (n=40)	Assessed at 2 weeks, 6 months, and 12 months after surgery • Nasal polyp size • Nasal symptom score	Significant improvement in NSS and endoscopy score. Surgical group with significantly higher polyp recurrence postoperatively.
Ragab 2004, 2010	RCT	90 CRSwNP and CRSsNP (89 evaluated)	• Erythromycin 500 mg bid + 2 weeks then 250 mg bid + alkaline douche + intranasal corticosteroid x 10 weeks (n=45) • Surgery + erythromycin 250 mg bid x 2 weeks + alkaline douche + intranasal corticosteroid (after 2 weeks) (n=44)	Assessed at 6 and 12 months • VAS (nasal blockage, nasal discharge, olfaction, facial pain, headache, overall discomfort) • SNOT-20 • SF-36 • NO • SCT • Acoustic rhinomanometry • Endoscopy	Significant effect on SNOT-20, SF-36, SCT and NO in both groups. No difference between groups

RCT, randomised controlled trial; CRSsNP, chronic rhinosinusitis without nasal polyps; CRSwNP, chronic rhinosinusitis with nasal polyps; NO, nitric oxide; NSS, Nasal and Sinus Symptom scale; SCT, saccharine clearance time; SF-36, Short-Form 36; SNOT, Sino-nasal Outcome Test.

12주간의 erythromycin 치료와 수술적 치료를 비교한 연구에서 3, 6, 12개월의 결과를 비교하였을 때 두 군 간의 유의한 차이는 없었다(표 4-1-5). CRSwNP 환자에서 수술 전 8주간 clarithromycin을 투약한 군과 수술만 시행한 군을 비교하였을 때 증상 점수와 비내시경 소견은 두 군간 차이는 없었으나, 수술 후 비용의 재발은 수술만 시행한 군에서 조금 더 높은 것으로 보고하였다. 결론적으로, macrolide 치료군은 증상과 비내시경 소견 등 임상 지표의 향상에서 수술군에 비교하여 비슷하며 비용 재발 억제에 있어서 보다 효과적이었다.

(4) Macrolide 간의 비교 연구

Clarithromycin과 erythromycin을 8-12주간 투약한 결과를 비교한 결과, 증상과 내시경 소견에서 clarithromycin이 보다 더 유의한 효과를 보였다.

(5) Macrolide와 Chinese herbal medicine 간의 비교 연구

소규모 연구 결과 두 그룹 간 모든 측정 결과에 유의한 차이 없음을 증명하였다.

3) Macrolide 장기간 요법의 문제점

(1) 부작용

복용 후 최대 1년까지 QT 간격 증가로 인한 부정맥 발생 및 심혈관 질환 발생 단기 가능성 증가시킬 수 있다고 알려져 있으나, CRS 환자에서는 나타나지 않았다. 이는 CRS 환자보다 일반적인 인구집단에서 기존의 심장질환이나 동반질환의 빈도가 높기 때문일 가능성이 있다. Clarithromycin은 QT 간격 증가의 병력이 있거나 QT 간격 증가의 위험이 있는 심실 심장 부정맥(torsades de pointe 또는 저칼륨혈증) 환자에게 투약해서는 안된다. 또한, clarithromycin은 심각한 간 부전과 신 장애가 같이 있는 환자에서는 사용해서는 안된다.

(2) Clarithromycin과 동시 투여 금기 약물

Astemizole, cisapride, pimozide, terfenadine, ergotamine, dihydroergotamine, ticagrelor, ranolazine, HMG-CoA reductase inhibitors (statins), colchicine.

4) 결론

장기간 경구 항생제 요법은 위약뿐만 아니라, 비강 스테로이드와 수술 등 이미 효과가 증명된 치료법과 비교하여 유의한 효과가 없었고, 심혈관 질환 발생의 위험성을 증가시킨다. 일부 연구에서는 macrolide 치료가 CRS에서 비내시경 및 증상 점수에서 효과를 보였으나 보다 확실한 결론을 내기 위해서는 대단위 연구 결과가 추가로 필요하다.

3. 국소 항생제 요법

1) 목적

CRS에서 국소 항생제 요법은 치료가 어려운 난치성(recalcitrant 또는 difficult-to-treat) 비부비동염 환자에서 생물막(biofilm)의 해결 목적으로 사용해볼 수 있다.

2) 임상 연구

(1) 국소 항생제와 위약 간의 비교 연구

4개의 위약 대조군 연구(n=141, CRSsNP 연구 3개, CRSwNP 연구 1개)에서 국소 항생제 요법은 위약과 비교하여 증상의 유의한 개선이 없었다. Mupirocin을 사용한 코세척은 경구 amoxicillin/clavulanate와 비교하여 *S.aureus*의 박멸과 Lund-Kennedy 점수 호전에 더 효과가 좋았다. 또한 균 배양검사 결과에 따른 항생제를 경구로 투약하는 것보다 네뷸라이저를 이용하여 코로 흡입하는 것이 더 효과적이라는 보고도 있다. 국소 항생제 요법은 경구 항생제 요법보다 증상, SNOT-22, Lund-Kennedy 내시경 점수에서 임상적으로 관련 없는 개선(clinically non-relevant improvement)을 보였지만 성인 CRS에서 위약과 비교한 연구에서 근거수준이 낮으며 추가적인 연구가 필요하다.

3) 결론

국소 항생제 요법은 위약과 비교하여, CRS 환자의 증상 개선 효과가 불확실하므로, 일반적인 CRS에서는 국소 항생제 요법 사용을 권하지 않고 치료가 어려운 난치성(recalcitrant 또는 difficult-to-treat) 비부비동염 환자에서 고려할 수 있다.

4. 주사 항생제 요법

1) 임상 연구

한 개의 case series 연구에서 경구 항생제 요법이나 수술에 실패한 경우에 주사 항생제 요법을 시행하여 유의한 증상 개선이 있었다는 보고가 있으나, 주사 항생제 요법의 효과에 대한 무작위 연구(randomized study)가 없다.

2) 결론

주사 항생제 요법은 아직 연구가 부족하며, 효과가 불확실하다. 그러므로 일반적인 CRS에서는 주사 항생제 요법 사용을 권하지 않는다.

References

- Amali A, Saedi B, Rahavi-Ezabadi S, Ghazavi H, Hassanpoor N. Long-term postoperative azith-romycin in patients with chronic rhinosinusitis: A randomized clinical trial. Am J Rhinol Allergy 2015;29(6):421-4.

- Amini M, Yarmohammadi ME, Izadi P. A Comparing Study Of Clarithromycin Xl With Co-Amox-iclav For Treatment Of Chronic Sinusitis; A Clinical Trial. Iranian J of Clinical Infectious Diseases 2009;4(4):197-201.

- Anand V, Levine H, Friedman M, Krespi Y, Panje W, Schettino R, *et al.* Intravenous antibiotics for refractory rhinosinusitis in nonsurgical patients: preliminary findings of a prospective study. Am J Rhinol 2003;17(6):363-8.

- Bonfils P, Escabasse V, Coste A, Gilain L, Louvrier C, Serrano E, *et al.* Efficacy of tobramycin aerosol in nasal polyposis. Eur Ann Otorhinolaryngol Head Neck Dis 2015;132(3):119-23.

- Desrosiers MY, Salas-Prato M. Treatment of chronic rhinosinusitis refractory to other treat-ments with topical antibiotic therapy delivered by means of a large-particle nebulizer: results of a controlled trial. Otolaryngol Head Neck Surg 2001;125(3):265-9.

- Fan Y, Xu R, Hong H, Luo Q, Xia W, Ding M, *et al.* High and low doses of clarithromycin treat-ment are associated with different clinical efficacies and immunomodulatory properties in chronic rhinosinusitis. J Laryngol Otol 2014;128(3):236-41.

- Fokkens WJ, Lund VJ, Hopkins C, Hellings PW, Kern R, Reitsma S, *et al.* European Position Paper on Rhinosinusitis and Nasal Polyps 2020. Rhinology 2020;58(Suppl S29):1-464.

- Hashiba M. Clinical efficacy of long-term macrolides therapy for chronic sinusitis-comparison between erythromycin and clarithromycin. Practica Otologica 1997;90:717-27.

- Haxel BR, Clemens M, Karaiskaki N, Dippold U, Kettern L, Mann WJ. Controlled trial for long-term low-dose erythromycin after sinus surgery for chronic rhinosinusitis. Laryngoscope 2015;125(5):1048-55.

- Huck W, Reed BD, Nielsen RW, Ferguson RT, Gray DW, Lund GK, *et al.* Cefaclor vs amoxicil-lin in the treatment of acute, recurrent, and chronic sinusitis. Archives of family medicine 1993;2(5):497–503.

- Jareoncharsri P, Bunnag C, Fooanant S, Tunsuriyawong P, Voraprayoon S, Srifuengfung S, *et al*. An open label, randomized comparative study of levofloxacin and amoxicillin/clavulanic acid in the treatment of purulent sinusitis in adult Thai patients. Rhinology 2004;42(1):23-9.

- Jervis-Bardy J, Boase S, Psaltis A, Foreman A, Wormald PJ. A randomized trial of mupirocin sinonasal rinses versus saline in surgically recalcitrant staphylococcal chronic rhinosinusitis. Laryngoscope 2012;122(10):2148-53.

- Jiang RS, Wu SH, Tsai CC, Li YH, Liang KL. Efficacy of Chinese herbal medicine compared with a macrolide in the treatment of chronic rhinosinusitis without nasal polyps. Am J Rhinol Allergy 2012;26(4):293-7.

- Legent F, Bordure P, Beauvillain C, Berche P. A double-blind comparison of ciprofloxacin and amoxycillin/clavulanic acid in the treatment of chronic sinusitis. Chemotherapy 1994;40 Suppl 1:8-15.

- Liu Z, Chen J, Cheng L, Li H, Liu S, Lou H, *et al*. Chinese Society of Allergy and Chinese Society of Otorhinolaryngology-Head and Neck Surgery Guideline for Chronic Rhinosinusitis. Allergy Asthma Immunol Res 2020;12(2):176-237.

- Mosholder AD, Lee JY, Zhou EH, Kang EM, Ghosh M, Izem R, *et al*. Long-Term Risk of Acute Myocardial Infarction, Stroke, and Death With Outpatient Use of Clarithromycin: A Retrospective Cohort Study. Am J Epidemiol 2018;187(4):786-92.

- Namyslowski G, Misiolek M, Czecior E, Malafiej E, Orecka B, Namyslowski P, *et al*. Comparison of the efficacy and tolerability of amoxycillin/clavulanic acid 875mg bid with cefuroxime 500mg bid in the treatment of chronic and acute exacerbation of chronic sinusitis in adults. Journal of chemotherapy 2002;14(5):508-17.

- Namysłowski G, Misiołek M, Małafiej E, Czecior E, Orecka B, Woch G, *et al*. Randomized clinical trial comparing the efficacy and safety of Augmentin versus cefuroxime in the treatment of chronic sinusitis in adult patients. Medical Science Monitor 1998;4(3):PI551-PI4.

- Perić A, Baletić N, Milojević M, Sotirović J, Živić L, Perić A, *et al*. Effects of preoperative clarithromycin administration in patients with nasal polyposis. The West Indian Medical Journal 2014;63(7):721.

- Ragab SM, Lund VJ, Scadding G, Saleh HA, Khalifa MA. Impact of chronic rhinosinusitis therapy on quality of life: a prospective randomized controlled trial. Rhinology 2010;48(3):305-11.

- Ragab SM, Lund VJ, Scadding G. Evaluation of the medical and surgical treatment of chronic rhinosinusitis: a prospective, randomised, controlled trial. Laryngoscope 2004;114(5):923-30.

- Rosenfeld RM, Piccirillo JF, Chandrasekhar SS, Brook I, Ashok Kumar K, Kramper M, *et al.* Clinical practice guideline (update): adult sinusitis. Otolaryngol Head Neck Surg 2015;152(2 Suppl):S1-s39.

- Sabino HA, Valera FC, Aragon DC, Fantucci MZ, Titoneli CC, Martinez R, *et al.* Amoxicillin-clavulanate for patients with acute exacerbation of chronic rhinosinusitis: a prospective, double-blinded, placebo-controlled trial. Int Forum Allergy Rhinol 2017;7(2):135-42.

- Schembri S, Williamson PA, Short PM, Singanayagam A, Akram A, Taylor J, *et al.* Cardiovascular events after clarithromycin use in lower respiratory tract infections: analysis of two prospective cohort studies. Bmj 2013;346:f1235.

- Shikani AH, Kourelis K, Alqudah MA, Shikani HJ, Cope E, Kirk N, *et al.* Multimodality topical therapy for refractory chronic rhinosinusitis: our experience in thirteen patients with and twelve patients without nasal polyps. Clin Otolaryngol 2013;38(3):254-8.

- Smith SS, Kim R, Douglas R. Is there a Role for Antibiotics in the Treatment of Chronic Rhinosinusitis? J Allergy Clin Immunol 2022;149(5):1504–12.

- Sykes DA, Wilson R, Chan KL, Mackay IS, Cole PJ. Relative importance of antibiotic and improved clearance in topical treatment of chronic mucopurulent rhinosinusitis. A controlled study. Lancet 1986;2(8503):359-60.

- Van Zele T, Gevaert P, Holtappels G, Beule A, Wormald PJ, Mayr S, *et al.* Oral steroids and doxycycline: two different approaches to treat nasal polyps. J Allergy Clin Immunol 2010;125(5):1069-76.e4.

- Videler WJ, Badia L, Harvey RJ, Gane S, Georgalas C, van der Meulen FW, *et al.* Lack of efficacy of long-term, low-dose azithromycin in chronic rhinosinusitis: a randomized controlled trial. Allergy 2011;66(11):1457-68.

- Videler WJ, van Drunen CM, Reitsma JB, Fokkens WJ. Nebulized bacitracin/colimycin: a treatment option in recalcitrant chronic rhinosinusitis with Staphylococcus aureus? A double-blind, randomized, placebo-controlled, cross-over pilot study. Rhinology 2008;46(2):92-8.

- Wallwork B, Coman W, Mackay-Sim A, Greiff L, Cervin A. A double-blind, randomized, placebo-controlled trial of macrolide in the treatment of chronic rhinosinusitis. Laryngoscope 2006;116(2):189-93.

- Williamson E, Denaxas S, Morris S, Clarke CS, Thomas M, Evans H, *et al.* Risk of mortality and cardiovascular events following macrolide prescription in chronic rhinosinusitis patients: a cohort study using linked primary care electronic health records. Rhinology 2019;57(4):252-60.

- Winkel P, Hilden J, Hansen JF, Kastrup J, Kolmos HJ, Kjøller E, *et al.* Clarithromycin for stable coronary heart disease increases all-cause and cardiovascular mortality and cerebrovascular morbidity over 10years in the CLARICOR randomised, blinded clinical trial. Int J Cardiol 2015;182:459-65.

만성 비부비동염의 약물치료
4-2. 스테로이드

김용민, 박수경

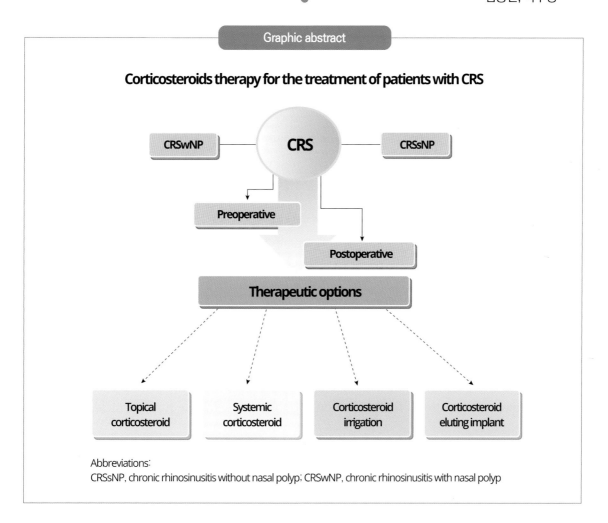

1. 국소용 스테로이드제

국소용 스테로이드는 모든 종류의 만성 비부비동염(chronic rhinosinusitis, CRS)에 효과가 입증되어 있으며 유지 치료의 근간을 이루는 약물이다. 인체 내 작용 기전은 염증유발 사이토카인의 유전자 전사(gene transcription)를 억제시키는 반면, 항염증 사이토카인 유전자 전사를 증가시킨다. 또한, 기도 염증에 관여하는 세포 침윤을 감소시키고 화학주성인자(chemotactic factors), 세포부착분자(cell adhesion molecules) 분비를 억제하여 염증을 억제하는 역할을 한다.

비용종을 동반한 만성 비부비동염(CRSwNP) 환자에서 국소용 스테로이드를 사용했을 때(사용기간 4-16주) 비용종 크기가 줄어들고 SNOT-22 점수의 의미 있는 감소를 보여 증상들이 호전되었다. CRSwNP 수술 후 환자를 대상으로 국소 스테로이드를 사용했을 때(사용기간 8-12주) 비용의 재발을 지연시키는 결과를 보였다. 또한 점막 수축제의 장기사용으로 발생하는 약물 유발성 비염(rhinitis medicamentosa)의 증상 경감에도 유용하게 사용할 수 있어 CRS에서 유용한 치료법이라 할 수 있다.

국소용 스테로이드제의 사용에 따른 부작용은 점막부종, 발열, 작열감, 비내 건조감, 비출혈, 칸디다(candida) 감염, 비중격 천공 등이 있으나 대부분 경미하거나 간헐적으로 발생하고, 비 내 연고를 바르거나 분무용량이나 방법의 변화로 해소할 수 있는 경우가 많다. 그러나 이러한 부작용의 방지를 위해 환자들에게 국소용 스테로이드의 올바른 사용법을 반드시 설명하고 주기적인 이학적 검사를 통한 확인이 필요하다.

초기에 개발된 국소용 스테로이드와 최근 개발된 국소용 스테로이드제를 비교해 보면 glucocorticoid 수용체의 결합 친화도(binding affinity)의 차이는 있지만 임상적 효과의 차이는 거의 없으며 전신 흡수율에 차이가 난다(표 4-2-1).

1. First-generation intranasal steroids: beclomethasone dipropionate, triamcinolone acetonide, flunisolide, budesonide
2. Newer preparations: fluticasone propionate, mometasone furoate, ciclesonide, fluticasone furoate

표 4-2-1. 국소 스테로이드제의 상대적 수용체 친화력 및 생체 이용률(Adapted from Derendorf H, Meltzer EO. Allergy 2008;63(10):1292-300.)

Corticosteroid	RRA*	Bioavailability (%)
Fluticasone furoate	2,989	0.5
Mometasone furoate	2,244	< 0.1
Fluticasone propionate	1,775	0.51 (spray)/0.06 (nasal drops)
Beclomethasone dipropionate	1,345	44
Ciclesonide	1,212	< 0.1
Budesonide	855	31
Triamcinolone	233	44
Flunisolide	177	40-50
Dexamethasone	100	> 80

*RRA: relative receptor affinity

2. 경구 스테로이드제

1) 비용종을 동반하지 않은 만성 비부비동염(CRSsNP)

스테로이드제의 전신적 투여는 부비동 자연공의 염증 반응을 억제하여 부종을 감소시켜 자연공의 직경을 넓혀줄 수 있다. 경구 스테로이드제는 흔히 항생제, 점막수축제, 국소용 스테로이드제 등과 함께 사용된다. 그동안의 연구들 역시 다른 약제들과 병합 사용한 것이 대부분이기 때문에 경구 스테로이드만의 단독 효과에 대한 평가는 어렵다. 그러나 Poetker 등은 prednisolone 40-60 mg를 10-14일간 감량(tapering)하면서 사용하여 SNOT-22 점수 및 CT 점수가 개선되는 결과를 보여 난치성 CRSsNP 환자에게 경구용 스테로이드제를 단기간으로 사용해볼 수 있다고 보고하였다.

2) 비용종을 동반한 만성 비부비동염(CRSwNP)

전신적 스테로이드는 비용의 초기형성단계에 효과가 좋으며 경구용으로 사용가능한 스테로이드제는 각각의 작용시간과 역가의 차이가 있다(표 4-2-2). 임상적으로 많은 경우에 methylprednisolone 혹은 prednisolone을 사용한다. 일반적으로 CRSsNP에서 보다 CRSwNP에서 스테로이드 사용량이 많으며(최대 prednisolone 1 mg/kg) 사용기간은 대개 2-3주이다.

CRSwNP 환자를 대상으로 한 무작위 비교연구에 따르면, 경구 prednisolone (25-60 mg을 2주간 tapering) 사용 후 비용종 크기가 감소하고 후각을 비롯한 여러 증상이 개선되는 결과를 보였다. 반면 methylprednisolone을 하루에 32 mg으로 시작해 점차 tapering하면서 20일간 사용 시 비용종 크기는 2주째 현저하게 감소하다가 3개월째에는 위약군과 비슷해지며 후비루, 코막힘, 후각저하 같은 증세들의 호전은 1개월 정도 지속되다 그 이후에는 위약군과 비슷해지는 것으로 알려졌다.

CRSwNP 환자를 대상으로 한 또 다른 무작위 비교연구에 따르면 수술 전 경구 스테로이드제를 5-7일간 0.5-1 mg/kg 사용 시 출혈량에 의미 있는 감소는 없으나, 수술 시야를 개선하고 수술 시간을 단축시킬 수 있다는 것으로 알려졌다. 또한 경구용 스테로이드제를 투여한 군에서 위장관 장애, 부신피질부전, 불면증 등의 부작용이 보고되었으나, 단기간 사용하였을 때 중대한 부작용이 거의 없는 점에서 경구용 스테로이드제의 단기간 사용의 중요성을 언급하였다.

표 4-2-2. 경구용 스테로이드제의 동일 유효용량, 작용시간 비교

Glucocorticoid	Approximate equivalent dose (mg)	Duration of action (hours)
Short-acting		
Hydrocortisone	20	8-12
Cortisone	25	8-12
Intermediate-acting		
Prednisone	5	12-36
Prednisolone	5	12-36
Methylprednisolone	4	12-36
Triamcinolone	4	12-36
Long-acting		
Dexamethasone	0.75	36-72
Betamethasone	0.6	36-72

3) 알레르기성 진균성 비부비동염

알레르기성 진균성 비부비동염 환자의 수술 전 prednisone 1 mg/kg를 10일간 사용했을 때 CT 점수가 의미 있게 호전되고 비강 내 비용종 양상의 점막이 대부분 호전되었다는 연구 결과가 있으며, 수술 후 prednisolone 0.5 mg/kg 혹은 50 mg을 tapering하면서 장기간 (1-3개월) 사용 시 증상의 호전 및 재발률을 의미 있게 낮출 수 있다고 보고되었다. 그러나, 일반적인 CRS의 경구 스테로이드 복용 시보다 복용 기간이 길어 그로 인한 합병증이 다수 발생하였던 점에서 스테로이드 부작용 발생 가능성에 주의를 기울어야 한다.

3. 비강 스테로이드 세척(corticosteroid irrigation)

※ 4-4. 생리식염수 코세척의 3) 스테로이드 용액 부분을 참조하십시오.

4. 스테로이드 용출 임플란트 (corticosteroid-eluting implants)

스테로이드 용출 임플란트는 아직 국내에서는 일반적으로 사용되고 있지는 않으나 국외에서 사용되고 있으며, 이는 부비동 수술 직후 수술실에서 또는 외래에서 환자의 비강에 삽입하는데 스테로이드가 국소적으로 유리되어 비점막에 효과적으로 작용하게 된다. Kern 등의 무작위 비교연구에 따르면 1,350 μg mometasone furoate가 90일 동안 용출되는 임플란트를 부비동 수술 후 환자의 사골동에 삽입했을 때 비용종의 재발 및 코막힘 등의 증상이 의미 있게 감소하였다. Forwith 등은 370 μg mometasone furoate가 30일 동안 용출되는 임플란트를 부비동 수술 후 환자의 사골동에 삽입했을 때 위약군에 비해 비용종의 재발을 막고 증상 호전을 보였다고 하였다. 스테로이드 용출 임플란트의 심각한 부작용에 대해서는 보고된 바 없으나 지금까지 다수의 환자를 대상으로 한 무작위 비교연구 결과가 적어서 보다 큰 집단의 긴 기간 동안의 추적관찰을 통한 추가적인 연구가 필요하다.

References

- Derendorf H, Meltzer EO. Molecular and clinical pharmacology of intranasal corticosteroids: clinical and therapeutic implications. Allergy 2008;63(10):1292-300.

- Ecevit MC, Erdag TK, Dogan E, Sutay S. Effect of steroids for nasal polyposis surgery: A place-bo-controlled, randomized, double-blind study. Laryngoscope 2015;125(9):2041-5.

- Fokkens WJ, Lund VJ, Hopkins C, Hellings PW, Kern R, Reitsma S, *et al.* European Position Paper on Rhinosinusitis and Nasal Polyps 2020. Rhinology 2020;58(Suppl S29):1-464.

- Forwith KD, Han JK, Stolovitzky JP, Yen DM, Chandra RK, Karanfilov B, *et al.* RESOLVE: bioab-sorbable steroid-eluting sinus implants for in-office treatment of recurrent sinonasal polypo-sis after sinus surgery: 6-month outcomes from a randomized, controlled, blinded study. Int Forum Allergy Rhinol 2016;6(6):573-81.

- Gulati SK, Sharma K, Kaur Shergill G, Kumar R. Prophylactic budesonide nasal spray after pol-ypectomy. Indian J Otolaryngol Head Neck Surg 2001;53(3):207-9.

- Han JK, Forwith KD, Smith TL, Kern RC, Brown WJ, Miller SK, *et al.* RESOLVE: a randomized, con-trolled, blinded study of bioabsorbable steroid-eluting sinus implants for in-office treatment of recurrent sinonasal polyposis. Int Forum Allergy Rhinol 2014;4(11):861-70.

- Ikram M, Abbas A, Suhail A, Onali MA, Akhtar S, Iqbal M. Management of allergic fungal sinusitis with postoperative oral and nasal steroids: a controlled study. Ear Nose Throat J 2009;88(4):E8-11.

- Kaliner M. Medical management of sinusitis. Am J Med Sci 1998;316(1):21-8.

- Kern RC, Stolovitzky JP, Silvers SL, Singh A, Lee JT, Yen DM, *et al.* A phase 3 trial of mometasone furoate sinus implants for chronic sinusitis with recurrent nasal polyps. Int Forum Allergy Rhi-nol 2018;8(4):471-81.

- Kirtsreesakul V, Wongsritrang K, Ruttanaphol S. Does oral prednisolone increase the efficacy of subsequent nasal steroids in treating nasal polyposis? Am J Rhinol Allergy 2012;26(6):455-62.

- Lal D, Scianna JM, Stankiewicz JA. Efficacy of targeted medical therapy in chronic rhinosinus-itis, and predictors of failure. Am J Rhinol Allergy 2009;23(4):396-400.

- Landsberg R, Segev Y, DeRowe A, Landau T, Khafif A, Fliss DM. Systemic corticosteroids for allergic fungal rhinosinusitis and chronic rhinosinusitis with nasal polyposis: a comparative study. Otolaryngol Head Neck Surg 2007;136(2):252-7.

- Poetker DM, Jakubowski LA, Lal D, Hwang PH, Wright ED, Smith TL. Oral corticosteroids in the management of adult chronic rhinosinusitis with and without nasal polyps: an evidence-based review with recommendations. Int Forum Allergy Rhinol 2013;3(2):104-20.

- Rupa V, Jacob M, Mathews MS, Seshadri MS. A prospective, randomised, placebo-controlled trial of postoperative oral steroid in allergic fungal sinusitis. Eur Arch Otorhinolaryngol 2010;267(2):233-8.

- Sher ER, Ross JA. Intranasal corticosteroids: the role of patient preference and satisfaction. Allergy Asthma Proc 2014;35(1):24-33.

- Sieskiewicz A, Olszewska E, Rogowski M, Grycz E. Preoperative corticosteroid oral therapy and intraoperative bleeding during functional endoscopic sinus surgery in patients with severe nasal polyposis: a preliminary investigation. Ann Otol Rhinol Laryngol 2006;115(7):490-4.

- Stjärne P, Olsson P, Alenius M. Use of mometasone furoate to prevent polyp relapse after endoscopic sinus surgery. Arch Otolaryngol Head Neck Surg 2009;135(3):296-302.

- Subramanian HN, Schechtman KB, Hamilos DL. A retrospective analysis of treatment outcomes and time to relapse after intensive medical treatment for chronic sinusitis. Am J Rhinol 2002;16(6):303-12.

- Vaidyanathan S, Barnes M, Williamson P, Hopkinson P, Donnan PT, Lipworth B. Treatment of chronic rhinosinusitis with nasal polyposis with oral steroids followed by topical steroids: a randomized trial. Ann Intern Med 2011;154(5):293-302.

- Van Zele T, Gevaert P, Holtappels G, Beule A, Wormald PJ, Mayr S, et al. Oral steroids and doxycycline: two different approaches to treat nasal polyps. J Allergy Clin Immunol 2010;125(5):1069-76.e4.

- Wright ED, Agrawal S. Impact of perioperative systemic steroids on surgical outcomes in patients with chronic rhinosinusitis with polyposis: evaluation with the novel Perioperative Sinus Endoscopy (POSE) scoring system. Laryngoscope 2007;117(11 Pt 2 Suppl 115):1-28.

- Yanez A, Dimitroff A, Bremner P, Rhee CS, Luscombe G, Prillaman BA, et al. A patient preference study that evaluated fluticasone furoate and mometasone furoate nasal sprays for allergic rhinitis. Allergy Rhinol (Providence) 2016;7(4):183-92.

만성 비부비동염의 약물치료

4-3. 항히스타민제, 점막수축제, 류코트리엔 길항제

조규섭, 문수진

Graphic abstract

Medical treatment in CRS (including CRSsNP, CRSwNP):
Anti-histamine, Decongestant, Leukotriene receptor antagonist

Anti-histamine	Not applicable
Decongestant	Not applicable (Optional for severe nasal obstruction as a temporary adjunctive therapy to INCS)
Leukotriene receptor antagonist	Not recommended as a monotherapy or an adjunctive therapy to INCS (Optional for patients who are intolerant or unresponsive to INCS)

Abbreviations:
INCS, intranasal corticosteroid spray

1. 항히스타민제

비용종을 동반하지 않은 만성 비부비동염(chronic rhinosinusitis without nasal polyp, CRSsNP)에서 항히스타민제의 역할은 아직 명확하지 않다. 알레르기 염증 반응이 CRS의 발생에 관여한다는 것은 어느 정도 근거가 있으나, 알레르기 항원 자체가 CRS의 위험인자로 작용하는지에 대해서는 의견이 분분하다. 알레르기와 CRS 간의 분명한 인과 관계에 대한 근거는 부족하지만, CRS의 기여 인자인 알레르기를 잘 치료하지 못할 경우 부비동 내시경수술(endoscopic sinus surgery, ESS)의 성공률이 떨어진다는 보고가 있다. 실제로 면역치료 중인 알레르기 비염 환자를 대상으로 한 후향적 연구에서 면역치료가 가장 도움이 되었다고 느낀 그룹은 재발성 비부비동염의 병력이 있었던 그룹이었고, 이전에 ESS를 시행받았던 환자 중 절반 정도에서 수술 단독만으로는 재발성 비부비동염을 완벽히 해결하기에 충분하지 않았다고 대답했다.

CRS에서 항히스타민제 치료에 관한 체계적 고찰 논문에 따르면, CRSsNP 환자에서 항히스타민제의 효과에 대해 알레르기 유무가 제대로 통제된 연구는 없으나, 비용종을 동반한 만성 비부비동염(chronic rhinosinusitis with nasal polyp, CRSwNP) 환자에서 항히스타민의 효과에 관한 연구는 하나가 있다. Haye 등은 45명의 CRSwNP 환자(알레르기 비염 16명 포함)에서 이중 맹검 무작위 위약 연구를 시행했으며, 20 mg의 cetirizine 또는 위약을 3개월 간 처방했을 때 cetirizine을 처방 받은 군(90-100%)에서 위약을 처방 받은 군(70-80%, 80-90%)보다 재채기 및 비루가 감소되었다고 보고했다. 하지만 이 연구 역시 알레르기 비염 유무에 따른 세부 비교 결과는 보고되지 않아, 근거는 제한적이다.

결론적으로, CRS 환자의 치료를 위한 경구 및 국소 항히스타민제 사용은 가능할 수 있으나 추가적인 세부 연구가 필요하다.

2. 점막수축제(항울혈제)

국소 점막수축제는 이론적으로 혈관을 수축시켜 점막의 부종을 줄일 수 있기 때문에 임상적으로 효과가 있을 것으로 추정된다. 하지만, 지속적인 점막수축제의 사용은 약물 유발성 비염(rhinitis medicamentosa)을 유발하여 국소 점막수축제를 중단할 때까지 오히려 비폐색을 악화시킨다. 아울러, 점막수축제 자체는 비용종의 크기에 영향을 끼치지 않는다는 보고가 있다. 반동성 비폐색 같은 부작용과 사용했을 때 효과가 명확하지 않아, CRSsNP에서 국소 및 경구 점막수축제의 사용은 권고하지 않는다.

CRSwNP에서는 두 개의 무작위 위약 연구에서 국소 점막수축제의 효과를 위약과 비교하였다. Kirtsreesakul 등은 68명의 CRSwNP 환자에서 비강 내 스테로이드(mometasone furoate)와 위약 스프레이 및 비강 내 스테로이드와 oxymetazoline을 사용하여 이중 맹검 무작위 위약 연구를 시행하였다. 환자들은 각각 두 개의 스프레이를 무작위 배정받아 일측 비공당 5분 간격으로 하루 두 번씩 4주 동안 분무하도록 교육받았다. 이후 환자들은 비강 내 스테로이드(mometasone furoate) 두 개를 일측 비공당 하루 두 번씩 2주 동안 분무하였다. 치료 4주 후, oxymetazoline을 추가한 군에서 비폐색, 후각감소, 최대비강흡기유속(peak nasal inspiratory flow), 점액섬모 청소 시간(mucociliary clearance time), 총 비강 비용종 점수에서 위약군보다 통계적으로 유의한 호전을 보였다. 이후 mometasone furoate로만 치료한 2주 동안 이전에 oxymetazoline을 추가한 군에서 여전히 최대비강흡기유속을 제외한 모든 변수에서 통계적으로 유의한 호전 효과가 지속되었다. 즉, oxymetazoline은 비강 내 스테로이드와 함께 처방 시 증상 호전의 이득이 있는 것으로 보고되었으며 4주 간의 사용으로 인한 반동성 비폐색의 발생은 보고되지 않았다.

Humphreys 등은 47명의 ESS를 시행 받은 환자의 조기 술후 경과에서 xylometazoline과 생리식염수 스프레이를 비교하였다. 술후 비폐색, 비루, 통증, 후각 감소 및 비출혈을 술후 10일째와 비교 시, 두 군 간에 차이는 보이지 않았다.

따라서, CRSwNP에서 점막수축제는 비강 내 스테로이드와 함께 단기간 사용하는 것은 선택적으로 고려할 수 있으나, 근거가 충분하지는 않기 때문에 단독 사용은 권고하지 않는다. 비폐색이 아주 심한 경우, 비강 내 스테로이드의 보조 치료로 단기간 사용은 선택적으로 고려해볼 수 있다.

3. 류코트리엔 길항제

Cysteinyl leukotrienes (CysLT; LTC_4, LTD_4, LTE_4)는 호산구와 비만세포의 세포막에서 유리된 아라키돈산(arachidonic acid)의 대사산물로 합성되는 염증 매개 물질이다. CysLT는 비염과 천식뿐만 아니라 및 CRSwNP의 병태생리에도 관여할 것으로 추정되며, 기관지 수축, 점액 생성, 점막 부종 및 호산구와 중성구의 주화성(chemotaxis)에 관여한다. 알레르기 비염, 천식 및 비용을 동반한 만성 비부비동염, 특히 아스피린 악화성 호흡기 질환(aspirin-exacerbated respiratory disease, AERD)에서 CysLTs의 과생산 및 수용체의 상향조절이 확인된 바 있다.

CRSsNP에서 류코트리엔 길항제의 효과와 관련해서 알레르기 유무가 제대로 통제된 연구는 없으며, CRSwNP에서 류코트리엔 길항제의 효과와 관련해서는 montelukast에 대해 제한적인 연구 결과가 보고되어 있다. 그 외 montelukast와 다른 류코트리엔 길항제(zafirlukast, zileuton, pranlukast)의 효과를 비교한 연구는 없었다.

Wentzel 등은 179명의 비용을 동반한 만성 비부비동염 환자에서 두 개의 무작위 위약 연구(하나의 이중 맹검 연구 포함) 및 세 개의 위약 없는 무작위 비교연구를 이용하여 체계적 고찰 및 메타분석을 시행했다. 위약 없는 무작위 비교연구는 경구 스테로이드 이후 montelukast와 비강 내 스테로이드 조합과 단독 비강 내 스테로이드의 효과를 비교하거나 술후 montelukast와 비강 내 스테로이드의 효과를 비교하였다. 두 개의 무작위 위약 연구에서 montelukast는 위약보다는 증상 및 국소 염증 매개 물질의 유의한 호전을 보였지만, 비강 내 스테로이드와 비교해서는 큰 차이가 없었다. 즉, CRSwNP에서 비강 내 스테로이드 보조 치료로서 류코트리엔 길항제의 효과는 제한적이다.

반면에, Suri 등은 40명의 CRSwNP 환자에서 전향적 무작위비교연구를 진행하여, 류코트리엔 길항제의 긍정적인 효과를 보고하였다. Prednisolone 치료 14일 이후 비강 내 스테로이드(budesonide) 8주 혹은 비강 내 스테로이드에 montelukast 추가 치료를 비교했을 때, 경구 montelukast를 추가한 군에서는 8주 뒤 전체 증상 점수, 후각, 재채기 증상에서 통계적으로 유의한 호전을 보였고, 약물 치료를 중단한 4주 뒤까지도 이러한 증상 호전 효과가 유지되어 Wentzel 등과는 상반되는 결과를 보고하였다.

72명의 CRSwNP 환자에서 수술 후 1년간 비강 내 스테로이드 및 montelukast의 추가 효과에 대해 평가했을 때, 두 군 간에 전체 증상 점수, 비용 점수 및 Lund-Mackay 점수는 통계적으로 유의한 차이를 보이지 않았고, 저자들은 술후 CRSwNP 환자에서 비강 내 스테로이드에 montelukast의 추가 치료는 권고하지 않았다.

그 외, AERD 환자를 대상으로 시행한 연구에서 술후 비강 내 국소스테로이드 및 montelukast의 추가 치료가 비강 내 스테로이드 단독 치료와 비교하여 유의한 효과는 없었다. AERD 환자 40명에서 시행한 이중 맹검 위약 대조군 연구에서 zileuton을 흡입용 혹은 경구용 스테로이드의 보조 치료로 비교했을 때, 6주 간의 zileuton (600 mg QID) 치료는 폐기능 및 후각, 비루, 비폐색 증상을 모두 호전시켰고, 특별한 부작용은 없었다고 보고했다.

즉, CRSwNP에서 술후 스테로이드 치료 이후 비강 내 스테로이드에 montelukast의 추가 효과는 없었고, 경구 스테로이드 치료 이후 비강 내 스테로이드에 montelukast의 추가 효과는 소규모 연구 간의 결과가 상이했다. 또한, AERD 환자에서 진행된 소규모 연구에서 경구 혹은 흡입용 스테로이드에 대한 zileuton 보조 치료는 효과를 보였다. 이러한 연구 결과들을 종합하면, 류코트리엔 길항제는 CRSwNP에서 제한적인 효과를 보인다. 류코트리엔 길항제에 따른 부작용은 비교적 적으나, montelukast는 시판 후 후향적 연구에서 드물게 신경정신과적인 부작용의 발생이 보고되어 있고, 상관성과 관련해서는 논란이 있다. Zileuton은 가역적인 간손상과의 연관성이 보고되어 있어 약물 처방 시 간수치의 모니터링이 필요하다.

따라서, CRS에서 술후 비강 내 스테로이드에 추가 치료로 류코트리엔 길항제는 연구결과가 상이한 결과를 나타내지만 특별히 간손상 이외 심각한 부작용은 없고 증상 개선의 효과는 일부 있으므로 의사의 판단에 따라 사용은 가능하나 아직 권고 수준까지는 아니다. 다만 환자가 비강 내 스테로이드에 순응하지 못하는 경우 사용을 권할 수 있으나 이에 대해서도 추가적인 연구가 필요하다. CRS에서 비강 내 스테로이드에 montelukast의 추가 사용 역시 추가적인 연구가 필요하나 비강 내 스테로이드 단독 치료에 비해 우월한 효과를 나타내는 연구는 제한적이다.

References

- Barnes ML, Biallosterski BT, Gray RD, Fardon TC, Lipworth BJ. Decongestant effects of nasal xylometazoline and mometasone furoate in persistent allergic rhinitis. Rhinology 2005;43(4):291-5.

- Dahlen B, Nizankowska E, Szczeklik A, Zetterstrom O, Bochenek G, Kumlin M, *et al.* Benefits from adding the 5-lipoxygenase inhibitor zileuton to conventional therapy in aspirin-intolerant asthmatics. Am J Respir Crit Care Med 1998;157(4 Pt 1):1187-94.

- Graf P, Hallen H, Juto JE. Four-week use of oxymetazoline nasal spray (Nezeril) once daily at night induces rebound swelling and nasal hyperreactivity. Acta Otolaryngol 1995;115(1):71-5.

- Haye R, Aanesen JP, Burtin B, Donnelly F, Duby C. The effect of cetirizine on symptoms and signs of nasal polyposis. J Laryngol Otol 1998;112(11):1042-6.

- Humphreys MR, Grant D, McKean SA, Eng CY, Townend J, Evans AS. Xylometazoline hydrochloride 0.1 per cent versus physiological saline in nasal surgical aftercare: a randomised, single-blinded, comparative clinical trial. J Laryngol Otol 2009;123(1):85-90.

- Johansson L, Oberg D, Melen I, Bende M. Do topical nasal decongestants affect polyps? Acta Otolaryngol 2006;126(3):288-90.

- Kirtsreesakul V, Khanuengkitkong T, Ruttanaphol S. Does oxymetazoline increase the efficacy of nasal steroids in treating nasal polyposis? Am J Rhinol Allergy 2016;30(3):195-200.

- Lane AP, Pine HS, Pillsbury HC, 3rd. Allergy testing and immunotherapy in an academic otolaryngology practice: a 20-year review. Otolaryngol Head Neck Surg 2001;124(1):9-15.

- Mostafa BE, Abdel Hay H, Mohammed HE, Yamani M. Role of leukotriene inhibitors in the postoperative management of nasal polyps. ORL J Otorhinolaryngol Relat Spec 2005;67(3):148-53.

- Pauli C, Fintelmann R, Klemens C, Hilgert E, Jund F, Rasp G, *et al.* Polyposis nasi-improvement in quality of life by the influence of leukotrien receptor antagonists. Laryngorhinootologie 2007;86(4):282-6.

- Schaper C, Noga O, Koch B, Ewert R, Felix SB, Glaser S, *et al.* Anti-inflammatory properties of montelukast, a leukotriene receptor antagonist in patients with asthma and nasal polyposis. J Investig Allergol Clin Immunol 2011;21(1):51-8.

- Seresirikachorn K, Khattiyawittayakun L, Chitsuthipakorn W, Snidvongs K. Antihistamines for treating rhinosinusitis: systematic review and meta-analysis of randomised controlled studies. J Laryngol Otol 2018;132(2):105-10.

- Stewart RA, Ram B, Hamilton G, Weiner J, Kane KJ. Montelukast as an adjunct to oral and inhaled steroid therapy in chronic nasal polyposis. Otolaryngol Head Neck Surg 2008;139(5):682-7.

- Stryjewska-Makuch G, Humeniuk-Arasiewicz M, Jura-Szoltys E, Gluck J. The Effect of Antileukotrienes on the Results of Postoperative Treatment of Paranasal Sinuses in Patients with Non-Steroidal Anti-Inflammatory Drug-Exacerbated Respiratory Disease. Int Arch Allergy Immunol 2019;179(4):281-9.

- Suri A GR, Gupta N, Kotwal S. Montelukast as an adjunct to treatment of chronic rhinosinusitis with polyposis: A prospective randomized controlled trial. JK Science 2015;17:92-5.

- Van Gerven L, Langdon C, Cordero A, Cardelus S, Mullol J, Alobid I. Lack of long-term add-on effect by montelukast in postoperative chronic rhinosinusitis patients with nasal polyps. Laryngoscope 2018;128(8):1743-51.

- Vuralkan E, Saka C, Akin I, Hucumenoglu S, Unal BU, Kuran G, *et al.* Comparison of montelukast and mometasone furoate in the prevention of recurrent nasal polyps. Ther Adv Respir Dis 2012;6(1):5-10.

- Wentzel JL, Soler ZM, DeYoung K, Nguyen SA, Lohia S, Schlosser RJ. Leukotriene antagonists in nasal polyposis: a meta-analysis and systematic review. Am J Rhinol Allergy 2013;27(6):482-9.

만성 비부비동염의 약물치료
4-4. 생리식염수 코세척

정용기, 김종승

Graphic abstract

Effect of Irrigation

Removal of mucus, crust, antigen, or mediators

Hydrating sol layer

Improving mucociliary transport

Disruption of biofilm

Fluid Preparation

Room temperature (20° ~ 40°)

Isotonic solution

High volume (≥ 200 cc)

Additive Agents

Steroid　Xylitol　Antibiotics　Honey

Hyaluronic acid　Antifungal

Disinfection

Microwave for 90 secs

Boiling for 120 secs

UV exposure over 45 secs

Posture & Device

1. 개요

생리식염수 코세척은 적은 비용으로 쉽게 적용할 수 있을 뿐 아니라 임상적 유용성이 검증되어 만성 비부비동염(chronic rhinosinusitis, CRS) 치료에 중요한 역할을 담당한다. 2016년 발표된 코크란 리뷰(Cochrane review), 2020년 발표된 EPOS (European Position Paper on Rhinosinusitis and Nasal Polyps), 그리고 2021년 "International Consensus Statement on Rhinology and Allergy: Rhinosinusitis"에서도 CRS 환자 혹은 부비동 내시경 수술(endoscopic sinus surgery, ESS)을 받은 환자들에게 생리식염수 코세척을 적극적으로 권장하고 있다.

생리식염수 코세척은 비강 내 점액의 점도를 낮추어 쉽게 배출될 수 있도록 하며, 오염된 점액과 가피를 물리적으로 제거하여 점액섬모수송(mucociliary transport)을 개선시킨다. 또한 점막 부종을 감소시키고 표면에 부착된 항원과 염증 매개인자들의 양을 줄이며 세균에 의해 형성된 생물막(biofilm)을 파괴한다. 뿐만 아니라 점액의 졸층(sol layer)에 수분을 공급하여 섬모가 원활하게 움직일 수 있도록 돕는다.

생리식염수를 사용할 경우 코세척에 따른 부작용은 경미하거나 흔하지 않아 안전하게 시행할 수 있으나, 드물게 비강 내 통증 및 비출혈 및 세척액의 중이강 내 역류가 발생할 수 있다. 특히 고장성 세척액을 사용할 경우 비강 내 통증 및 자극 증상이 더 빈번하게 발생한다는 보고가 있다. 활동성 비출혈이 있거나 흡인 가능성이 있는 환자의 경우에는 코세척을 시행하지 않도록 한다.

2. 생리식염수 세척

1) 세척 자세

다양한 코세척 자세에 따라 비강 및 부비동의 중력 방향에 대한 상대적 위치가 달라지며,

여러 연구들에서 이러한 위치의 변화가 코세척액의 분포에 미치는 영향을 조사하였다. 올바른 자세에서 코세척액이 비강 및 부비동에 용이하게 전달되며, 이에 따라 물리적인 세척 효과가 증가한다. 또한 세척액에 약물을 섞어 사용하는 경우 효과적으로 약물을 목표한 부비동에 전달할 수 있다.

바닥에 머리를 대고 무릎을 꿇은 자세(kneeling with the head on the floor)로 코세척을 하는 것이 세척액이 비강과 부비동 전체에 도달할 수 있는 가장 효과적인 자세이다. 그러나 많은 양의 세척을 할 때는 앞으로 숙인(head down-and forward position) 자세를 취하는 것이 흡인을 방지할 수 있어 바람직하며, 비강 점적 용액(nasal drop)이나 비강 내 스프레이와 같은 적은 양의 세척을 할 때는 코를 천장으로 향한 자세(nose-to-ceiling position)가 효과적이다. 이러한 자세로 세척하는 경우 세척액이 비강 및 부비동에 고르게 분포하는 이점이 있지만, 많은 양의 세척액을 사용할 경우 흡인의 가능성이 높아진다. 따라서 항아리모양 주사기(pots) 또는 squeeze bottle과 같은 세척 장비를 이용한 고용량의 코세척의 경우 머리를 아래로, 앞으로 숙인(head down-and forward position) 자세를 취할 때 흡인도 방지하고, 세척액이 비강 및 부비동에 효과적으로 분포한다. 또한 고용량 세척을 시행할 때 코를 천장으로 향한 자세에서 다른 세척 자세에 비해 접형동으로 세척액이 효과적으로 전달된다고 알려져있다.

2) 생리식염수 농도

고장성 식염수는 점막과 세척액 사이의 삼투압 차이에 의해 비강 점막 부종을 감소시키고, 섬모 진동 횟수를 증가시킨다는 보고가 있다. 또한 고장성 식염수 세척이 기침과 코막힘에 효과적이라는 연구도 있다. 그러나 CRS 환자를 대상으로 한 생체 내 연구에서는 생리식염수 농도에 따른 증상 호전 여부에는 유의한 차이가 없었다. 3개의 무작위 대조군 연구에서 생리식염수가 증상 호전에 보다 더 효과가 있다고 보고하였고, 2개의 무작위 대조군 연구와 1개의 체계적 고찰 논문에서는 고장성 식염수가 증상 호전에 효과가 있었다고 보고하였다. 또한, 고장성 식염수의 경우 비강 내 작열감, 분비물의 증가, 통증 등의 부작용 발생 확률이 생리식염수보다 높았다는 보고가 있다.

ESS 후 Ringer's lactate solution을 이용하여 코세척을 시행한 연구결과에 따르면 등장성 또는 고장성 식염수보다 우월한 증상 호전 효과를 보였다는 보고가 있었지만, 표준 치료로 권장할 수 있는 근거가 충분하지 않다. 시중에는 다양한 등장성 식염수 코세척 키트가 판매되고 있으며, 쉽게 구매가 가능하다. 이에 반해 고장성 식염수나 Ringer's lactate solution 키트는 널리 판매되고 있지 않으며 환자의 편의성을 고려하여 고장성 식염수나 Ringer's lactate solution을 권장함에 있어 주의가 필요하다.

따라서, 위에 언급한 연구 결과들을 고려할 때 식염수 농도에 따른 효과의 차이는 명확하게 검증되지 않았으며 쉽게 구할 수 있고 사용에 따른 불편함이 적은 생리식염수를 사용하는 것을 권장한다.

3) 생리식염수 온도

섬모의 운동성은 20℃ 미만 또는 40℃ 이상의 온도에서 감소하며, 5℃ 또는 50℃의 온도에 도달하면 정지된다. 온도에 따른 점액섬모수송을 분석한 연구에서 생리식염수 온도에 따른 비강 내 사카린 이동 시간(saccharine transit time)과 환자의 증상을 비교하였고, 20-40℃ 사이의 생리식염수에서는 유의한 차이가 없었다.

코세척액 내의 세균 번식을 방지하기 위해 용액을 냉장 보관하는 경우도 있다. 그러나 저온의 세척액으로 지속적으로 코세척을 하는 경우 비강 내 골조직이 증식하는 외골증(exostosis)이 발생한다는 보고가 있으며, 안전과 효율성을 위해 너무 차가운 용액을 사용하는 것은 권장하지 않는다. 따라서, 생리식염수 용액은 실온에 보관하고 세균 감염을 방지하기 위해 개봉 후 즉시 사용하는 것이 편리하고 안전한 방법이다.

3. 기타 세척 용액

1) 항생제 첨가 용액

CRS 환자 또는 ESS를 받은 환자에게 항생제가 섞인 생리식염수 코세척이 생리식염수 단독 사용보다 더 효과적이라는 연구 근거는 부족하다. 최근 임상 가이드라인과 리뷰 논문에서는 CRS 또는 ESS 환자에게 항생제가 섞인 생리식염수 코세척을 권장하지 않는 추세이다.

2) 기타 약제 첨가

코세척액에 여러 종류의 약제 또는 물질을 섞어서 사용하는 것에 대한 여러 임상보고가 있었다. 예를 들어 히알루론산, 자일리톨, 꿀, 온천수, 항생제, 덱스판테놀 및 자일로글루칸 등을 첨가한 연구 결과들이 보고되었으며, 특히 히알루론산, 자일리톨 및 꿀을 이용한 코세척이 활발하게 연구되었다. 총 7개의 무작위 대조군 연구에서 히알루론산을 섞어서 세척하는 방법의 효과에 대한 연구결과를 발표하였으며 총 4개의 연구에서 수술 후 기간 동안 주관적인 증상 개선(SF-36, SNOT score) 및 내시경 소견의 호전을 보고하였다. 비용종을 동반하지 않은 만성 비부비동염(chronic rhinosinusitis without nasal polyp, CRSsNP) 환자를 대상으로 한 연구에서 수술 후 3주 이내에는 증상 호전의 차이를 보였지만, 6주째의 경과에서는 일반 생리식염수 그룹과 유의한 차이가 없었다. 또한 비용종을 동반한 만성 비부비동염(chronic rhinosinusitis with nasal polyp, CRSwNP) 환자를 대상으로 한 연구에서는 비강 내 스테로이드 분무와 함께 히알루론산 네뷸라이저(nebulizer)를 적용하였을 때 주관적인 증상 및 방사선학적 소견이 유의하게 호전되었다고 보고하였다.

총 3개의 무작위 대조군 연구에서 꿀을 이용한 코세척 결과를 보고하였고, 주로 재발성 CRS 그리고 수술 후 관리에 적용하였다. 그러나 모든 연구에서 꿀을 사용한 코세척액의 추가적인 임상효과를 입증하지 못하였으며, 이는 내시경적 소견, 영상학적 소견, 주관적인 소견에 근거하여 그룹 간에 차이가 없음을 확인하였다. 또한 꿀은 잠재적인 알레르기 유발 원인이 될 수 있고, 추가 약제 구입에 따른 비용을 고려하여 사용하지 않는 것을 권장한다.

ESS 시행 후 코세척액에 자일리톨을 첨가한 3개의 무작위 대조군 연구가 있었으며, 2개의 연구에서 12 g의 자일리톨을 첨가한 세척액으로 코세척을 1일 1회 총 30일 동안 시행하였고, 자일리톨이 함유된 코세척 그룹에서 점막 회복상태가 더 좋았다. 나머지 연구에서는 4 mg의 약제학적 등급(pharmaceutical-grade)의 자일리톨과 2 mg의 나트륨 그리고 240 mL의 증류수를 이용하여 코세척을 시행하였고, 매우 낮은 농도의 자일리톨 함유량에도 불구하고 자일리톨 코세척 그룹이 유의한 증상 호전을 보였다. 덱스판테놀을 이용한 코세척의 경우 위축성 비염에 효과적이라는 보고가 있었다. 또한 CRS 증상과 내시경 소견에는 효과가 없었지만, 점액 섬모운동에는 효과가 있었다는 보고가 있었다. 자일로글루칸은 뮤신과 비슷한 분자구조를 가진 물질로서, 비점막 표면에서 세균 유착을 막아주는 효과가 있을 것으로 추정되지만, 현재까지 CRS 치료에 대한 효과를 입증한 논문은 없다. 결론적으로, 히알루론산과 자일리톨은 의사의 판단에 따라 코세척액에 섞어 사용할 수 있는 임상적 근거가 있지만, 꿀의 경우 세척액에 첨가하지 않는 것을 권장한다.

3) 스테로이드 용액

CRS는 비부비동의 장기간 지속되는 면역반응에 의한 염증이 원인이 되기도 하며, 스테로이드를 포함한 코세척은 이러한 염증 완화와 증상 완화를 위해 사용되고 있다. ESS 시행 후 스테로이드 용액을 이용한 코세척군과 스테로이드 스프레이 사용군을 비교한 이중 맹검 위약 대조 연구(double-blind placebo-controlled)에서, 스테로이드 코세척 그룹의 증상 및 내시경 소견, 영상 소견이 모두 우월한 것으로 조사되었다.

CRS 환자에서 스테로이드 코세척과 생리식염수 코세척의 효과를 비교한 연구에 따르면 두 그룹 모두 수술 후 관리에 있어서 유의한 증상 개선을 보였다. 이러한 연구결과들을 고려할 때, 스테로이드 코세척은 생리식염수 코세척과 효과가 유사하거나 조금 더 우월하다고 판단할 수 있다.

치료 효과에 대한 연구 이외에 스테로이드 함유 세척액의 안전성을 입증하기 위한 여러 가지 연구들이 시행되었고, 결론적으로 스테로이드 코세척은 시상하부-뇌하수체-부신 축 억제(hypothalamic-pituitary-adrenal axis suppression), 안압 상승, 피막하 백내장 등의 심각한 합병증의 발생을 증가시키지 않는 안전한 치료법으로 판단할 수 있으며 최근에 발표된 CRS 임상 치료 지침에서 선택적 치료법으로 권고하고 있다.

4) 항진균제 용액

코세척액에 항진균제를 첨가하는 것에 대해서는 아직 충분한 근거가 확립되어 있지 않다.

ESS 시행 후 amphotericin B 용액과 식염수 코세척 두 그룹을 무작위로 나누어 이중 맹검 위약 대조 연구(randomized, double-blind, placebo-controlled)를 진행하였다. 결과적으로 증상, 내시경적 소견, 점막섬모운동, 후각 기능 검사, 세균 배양률 등에서 두 그룹 간에 차이가 없었다. 최근 임상 지침 및 메타분석 연구에서는, CRS 또는 ESS를 시행받은 환자에서 항진균제 용액을 첨가한 코세척을 시행하지 말 것을 권고하고 있다.

4. 세척 용액 및 장비의 준비

최근의 보고에 따르면 코세척 환자의 48%가 수돗물을 끓이지 않고 직접 사용하고 있으며, 27%가 사용한 병을 소독하지 않는다고 보고했다. 하지만, *Naugleria fowleri*가 함유된 수돗물을 이용한 코세척 이후 후각신경을 통해 역행성 감염이 발생하여 아메바성 수막뇌염(amebic meningoencephalitis)에 의한 사망이 보고된 사례가 있다. 따라서 멸균된 세척액을 사용하고 세척 이후에도 세균이 단시간 내에 자랄 수 있기 때문에 제조 후 바로 사용하거나 남은 용액은 폐기하는 것이 바람직하다. 세척액을 올바르게 멸균하기 위해서 용액을 5분 이상 끓인 후 식혀서 사용하거나 최소 45초 이상 자외선에 노출시킨 뒤 사용해야 한다.

코세척 방법은 세척액이 분사되는 압력과 양에 따라 4개의 그룹으로 분류할 수 있다. 저압은 중력을 이용하여 세척액을 전달하는 것을 말하며, 고압은 전원을 이용한 기기를 통해 세척액을 분출하거나, 세척액 용기를 손으로 강하게 눌러 세척하는 경우를 말한다. 고용량은 1회 코세척 용액이 200 mL 이상일때, 저용량은 200 mL 미만일 때로 정의한다.

- 저용량 저압 장치: 비강 내 점적(nasal drop), 비강 내 스프레이
- 저용량 고압 장치: 주사기를 이용한 가압 스프레이 또는 코세척
- 대용량 저압 장치: pots과 네뷸라이저를 이용한 코세척
- 대용량 고압 장치: squeeze bottle, bulb syringe, 기계적 세척장치

대용량 코세척은 저용량 코세척보다 불편감, 작열감, 코피 그리고 이관기능 장애가 더 많이

생길 수 있다. 그러나 저용량 코세척의 경우 세척액이 부비동에 안정적으로 도달할 확률이 낮으며, 특히 전두동이나 접형동에 잘 도달하지 못한다. 따라서 CRS 환자에게 저용량보다 고용량의 코세척을 권장한다.

5. 소독

코세척 장비의 오염 가능성에 대해 여러 보고들이 있었으며, 장비 자체의 오염 및 비강에서 세척액으로의 역행 오염 등이 발생할 수 있다. 이러한 것을 방지하기 위해 one-way valve가 장착된 세척 장비 등도 개발되었다. 그러나 최근 연구에서 코세척 장비의 종류에 상관없이 약 1주일간의 코세척 후 코세척 용기의 오염이 확인되었다는 보고가 있었다. 특히 외부 오염물질의 유입을 막기 위한 one-way valve 장비에서도 사용 후 1주일 뒤 오염이 관찰되었고, 밸브 일부에 세균이 서식하고 있는 것으로 보고되었다. 또한 각 기기의 제조사에서 권장하는 소독법을 시행한 경우에도 1주일 뒤에는 세척장비의 오염이 확인되었으며 가장 흔하게 검출된 세균은 *Pseudomonas aeruginosa*와 *Staphylococcus aureus*이다. 다만 이러한 장비의 오염이 부비동의 감염을 유발하였다는 것은 아직 증명되어 있지 않다.

소독 방법에 따른 살균 효과를 비교한 연구에서 세척 도구를 2분 이상 끓이거나 전자레인지에 1분 30초 이상 가열한 경우에 살균 효과가 높았다. 병을 전자레인지에 가열하거나 삶는 시간이 길어질수록 살균 효과는 높아지지만 병 모양의 변형이 유발될 수 있다. 그럼에도 불구하고 한 연구에서는 전자레인지 소독 이후에도 오염이 발견된 사례가 있다.

결론적으로 코세척 도구의 소독법은 전자레인지로 1분 30초 이상 가열하거나 끓는 물에 2분 이상 끓이거나 자외선에 45초 이상 노출시키는 방법이 선호된다.

References

- Adelson RT, Kennedy DW. Paranasal sinus exostoses: possible correlation with cold temperature nasal irrigation after endoscopic sinus surgery. Laryngoscope 2013;123(1):24-7.

- Berjis N, Sonbolastan SM, Okhovat SH, Narimani AA, Razmjui JR. Normal Saline Versus Hypertonic 3% Saline: It's Efficacy in Non-Acute Rhinosinusitis. Iranian Journal of Otorhinolaryngology 2011;23(1):23-8.

- Bogaert GA, Goeman L, de Ridder D, Wevers M, Ivens J, Schuermans A. The physical and anti-microbial effects of microwave heating and alcohol immersion on catheters that are reused for clean intermittent catheterisation. Eur Urol 2004;46(5):641-6.

- Cantone E, Castagna G, Sicignano S, Ferranti I, Rega F, Di Rubbo V, *et al.* Impact of intranasal sodium hyaluronate on the short-term quality of life of patients undergoing functional endoscopic sinus surgery for chronic rhinosinusitis. Int Forum Allergy Rhinol 2014;4(6):484-7.

- Cantone E, Iengo M. Effect of sodium hyaluronate added to topical corticosteroids in chronic rhinosinusitis with nasal polyposis. Am J Rhinol Allergy 2016;30(5):340-3.

- Casale M, Sabatino L, Frari V, Mazzola F, Dell'Aquila R, Baptista P, *et al.* The potential role of hyaluronan in minimizing symptoms and preventing exacerbations of chronic rhinosinusitis. Am J Rhinol Allergy 2014;28(4):345-8.

- Chong LY, Head K, Hopkins C, Philpott C, Glew S, Scadding G, *et al.* Saline irrigation for chronic rhinosinusitis. Cochrane Database Syst Rev 2016;4(4):Cd011995.

- Craig JR, Palmer JN, Zhao K. Computational fluid dynamic modeling of nose-to-ceiling head positioning for sphenoid sinus irrigation. Int Forum Allergy Rhinol 2017;7(5):474-9.

- Culig J, Leppee M, Vceva A, Djanic D. Efficiency of hypertonic and isotonic seawater solutions in chronic rhinosinusitis. Med Glas (Zenica) 2010;7(2):116-23.

- Fokkens WJ, Lund VJ, Hopkins C, Hellings PW, Kern R, Reitsma S, *et al.* European Position Paper on Rhinosinusitis and Nasal Polyps 2020. Rhinology 2020;58(Suppl S29):1-464.

- Fooanant S, Chaiyasate S, Roongrotwattanasiri K. Comparison on the efficacy of dexpanthenol in sea water and saline in postoperative endoscopic sinus surgery. J Med Assoc Thai 2008;91(10):1558-63.

- Foreman A, Wormald PJ. Can bottle design prevent bacterial contamination of nasal irrigation devices? Int Forum Allergy Rhinol 2011;1(4):303-7.

- Freeman SR, Sivayoham ES, Jepson K, de Carpentier J. A preliminary randomised controlled trial evaluating the efficacy of saline douching following endoscopic sinus surgery. Clin Otolaryngol 2008;33(5):462-5.

- Gelardi M, Guglielmi AV, De Candia N, Maffezzoni E, Berardi P, Quaranta N. Effect of sodium hyaluronate on mucociliary clearance after functional endoscopic sinus surgery. Eur Ann Allergy Clin Immunol 2013;45(3):103-8.

- Giotakis AI, Karow EM, Scheithauer MO, Weber R, Riechelmann H. Saline irrigations following sinus surgery - a controlled, single blinded, randomized trial. Rhinology 2016;54(4):302-10.

- Hardy ET, Stringer SP, O'Callaghan R, Arana A, Bierdeman MA, May WL. Strategies for decreasing contamination of homemade nasal saline irrigation solutions. Int Forum Allergy Rhinol 2016;6(2):140-2.

- Harvey R, Hannan SA, Badia L, Scadding G. Nasal saline irrigations for the symptoms of chronic rhinosinusitis. Cochrane Database Syst Rev 2007;(3):Cd006394.

- Harvey RJ, Snidvongs K, Kalish LH, Oakley GM, Sacks R. Corticosteroid nasal irrigations are more effective than simple sprays in a randomized double-blinded placebo-controlled trial for chronic rhinosinusitis after sinus surgery. Int Forum Allergy Rhinol 2018;8(4):461-70.

- Hashemian F, Baghbanian N, Majd Z, Rouini MR, Jahanshahi J, Hashemian F. The effect of thyme honey nasal spray on chronic rhinosinusitis: a double-blind randomized controlled clinical trial. Eur Arch Otorhinolaryngol 2015;272(6):1429-35.

- Hauptman G, Ryan MW. The effect of saline solutions on nasal patency and mucociliary clearance in rhinosinusitis patients. Otolaryngol Head Neck Surg 2007;137(5):815-21.

- Jang DW, Lachanas VA, Segel J, Kountakis SE. Budesonide nasal irrigations in the postoperative management of chronic rhinosinusitis. Int Forum Allergy Rhinol 2013;3(9):708-11.

- Jiang RS, Twu CW, Liang KL. Efficacy of nasal irrigation with 200 μg/mL amphotericin B after functional endoscopic sinus surgery: a randomized, placebo-controlled, double-blind study. Int Forum Allergy Rhinol 2018;8(1):41-8.

- Kang TW, Chung JH, Cho SH, Lee SH, Kim KR, Jeong JH. The Effectiveness of Budesonide Nasal Irrigation After Endoscopic Sinus Surgery in Chronic Rhinosinusitis With Asthma. Clin Exp Otorhinolaryngol 2017;10(1):91-6.

- Kanjanawasee D, Seresirikachorn K, Chitsuthipakorn W, Snidvongs K. Hypertonic Saline Versus Isotonic Saline Nasal Irrigation: Systematic Review and Meta-analysis. Am J Rhinol Allergy 2018;32(4):269-79.

- Kayarkar R, Clifton NJ, Woolford TJ. An evaluation of the best head position for instillation of steroid nose drops. Clin Otolaryngol Allied Sci 2002;27(1):18-21.

- Kehrl W, Sonnemann U. Dexpanthenol nasal spray as an effective therapeutic principle for treatment of rhinitis sicca anterior. Laryngorhinootologie 1998;77(9):506-12.

- Kim DH, Kim Y, Lim IG, Cho JH, Park YJ, Kim SW, et al. Effect of Postoperative Xylitol Nasal Irrigation on Patients with Sinonasal Diseases. Otolaryngol Head Neck Surg 2019;160(3):550-5.

- Kofonow JM, Bhuskute A, Doghramji L, Palmer JN, Cohen NA, Chiu AG. One-way valve bottle contamination rates in the immediate post-functional endoscopic sinus surgery period. Am J Rhinol Allergy 2011;25(6):393-6.

- Kosugi EM, Moussalem GF, Simões JC, Souza Rde P, Chen VG, Saraceni Neto P, et al. Topical therapy with high-volume budesonide nasal irrigations in difficult-to-treat chronic rhinosinusitis. Braz J Otorhinolaryngol 2016;82(2):191-7.

- Lee JM, Nayak JV, Doghramji LL, Welch KC, Chiu AG. Assessing the risk of irrigation bottle and fluid contamination after endoscopic sinus surgery. Am J Rhinol Allergy 2010;24(3):197-9.

- Lee VS, Humphreys IM, Purcell PL, Davis GE. Manuka honey sinus irrigation for the treatment of chronic rhinosinusitis: a randomized controlled trial. Int Forum Allergy Rhinol 2017;7(4):365-72.

- Lin L, Tang X, Wei J, Dai F, Sun G. Xylitol nasal irrigation in the treatment of chronic rhinosinusitis. Am J Otolaryngol 2017;38(4):383-9.

- Liu L, Pan M, Li Y, Tan G, Yang YJBJoO. Efficacy of nasal irrigation with hypertonic saline on chronic rhinosinusitis: systematic review and meta-analysis. Braz J Otorhinolaryngol 2020;86(5):639-46.

- Low TH, Woods CM, Ullah S, Carney AS. A double-blind randomized controlled trial of normal saline, lactated Ringer's, and hypertonic saline nasal irrigation solution after endoscopic sinus surgery. Am J Rhinol Allergy 2014;28(3):225-31.

- Macchi A, Terranova P, Digilio E, Castelnuovo P. Hyaluronan plus saline nasal washes in the treatment of rhino-sinusal symptoms in patients undergoing functional endoscopic sinus surgery for rhino-sinusal remodeling. Int J Immunopathol Pharmacol 2013;26(1):137-45.

- Merkus P, Ebbens FA, Muller B, Fokkens WJ. Influence of anatomy and head position on intranasal drug deposition. Eur Arch Otorhinolaryngol 2006;263(9):827-32.

- Möller W, Schuschnig U, Khadem Saba G, Meyer G, Junge-Hülsing B, Keller M, et al. Pulsating aerosols for drug delivery to the sinuses in healthy volunteers. Otolaryngol Head Neck Surg 2010;142(3):382-8.

- Morong S, Lee JM. Microwave disinfection: assessing the risks of irrigation bottle and fluid contamination. Am J Rhinol Allergy 2012;26(5):398-400.

- Mozzanica F, Preti A, Gera R, Bulgheroni C, Cardella A, Albera A, et al. Double-blind, randomised controlled trial on the efficacy of saline nasal irrigation with sodium hyaluronate after endoscopic sinus surgery. J Laryngol Otol 2019;133(4):300-8.

- Nikakhlagh S, Abshirini H, Lotfi M, Mohammad S, Mohammadi NSJJGPT. A comparison between the effects of nasal lavage with hypertonic, isotonic and hypotonic saline solutions for the treatment of chronic sinusitis. 2016;8:68-73.

- Nikolaou E, Mitsi E, Ferreira DM, Bartolo A, Leong SC. Assessing the ideal microwave duration for disinfection of sinus irrigation bottles-A quantitative study. Clin Otolaryngol 2018;43(1):261-6.

- Nimsakul S, Ruxrungtham S, Chusakul S, Kanjanaumporn J, Aeumjaturapat S, Snidvongs K. Does Heating up Saline for Nasal Irrigation Improve Mucociliary Function in Chronic Rhinosinusitis? Am J Rhinol Allergy 2018;32(2):106-11.

- Olson DE, Rasgon BM, Hilsinger RL, Jr. Radiographic comparison of three methods for nasal saline irrigation. Laryngoscope 2002;112(8 Pt 1):1394-8.

- Ooi ML, Jothin A, Bennett C, Ooi EH, Vreugde S, Psaltis AJ, et al. Manuka honey sinus irrigations in recalcitrant chronic rhinosinusitis: phase 1 randomized, single-blinded, placebo-controlled trial. Int Forum Allergy Rhinol 2019;9(12):1470-7.

- Ordemann AG, Stanford JK, 2nd, Sullivan DC, Reed JM. Can contaminated water be rendered safe for nasal saline irrigations? Laryngoscope 2017;127(7):1513-9.

- Orlandi RR, Kingdom TT, Smith TL, Bleier B, DeConde A, Luong AU, et al. International consensus statement on allergy and rhinology: rhinosinusitis 2021. Int Forum Allergy Rhinol 2021;11(3):213-739.

- Pinto JM, Elwany S, Baroody FM, Naclerio RM. Effects of saline sprays on symptoms after endoscopic sinus surgery. Am J Rhinol 2006;20(2):191-6.

- Psaltis AJ, Foreman A, Wormald PJ, Schlosser RJ. Contamination of sinus irrigation devices: a review of the evidence and clinical relevance. Am J Rhinol Allergy 2012;26(3):201-3.

- Rawal RB, Deal AM, Ebert CS, Jr., Dhandha VH, Mitchell CA, Hang AX, et al. Post-operative budesonide irrigations for patients with polyposis: a blinded, randomized controlled trial. Rhinology 2015;53(3):227-34.

- Saijo R, Majima Y, Hyo N, Takano H. Particle deposition of therapeutic aerosols in the nose and paranasal sinuses after transnasal sinus surgery: a cast model study. Am J Rhinol 2004;18(1):1-7.

- Sauvalle M, Alvo A. Effect of the temperature of nasal lavages on mucociliary clearance: a randomised controlled trial. Eur Arch Otorhinolaryngol 2018;275(9):2403-6.

- Shargorodsky J, Lane AP. What is the best modality to minimize bacterial contamination of nasal saline irrigation bottles? Laryngoscope 2015;125(7):1515-6.

- Snidvongs K, Thanaviratananich S. Update on Intranasal Medications in Rhinosinusitis. Curr Allergy Asthma Rep 2017;17(7):47.

- Sowerby LJ, Wright ED. Tap water or "sterile" water for sinus irrigations: what are our patients using? Int Forum Allergy Rhinol 2012;2(4):300-2.

- Succar EF, Turner JH, Chandra RK. Nasal saline irrigation: a clinical update. Int Forum Allergy Rhinol 2019;9(S1):S4-s8.

- Tait S, Kallogjeri D, Suko J, Kukuljan S, Schneider J, Piccirillo JF. Effect of Budesonide Added to Large-Volume, Low-pressure Saline Sinus Irrigation for Chronic Rhinosinusitis: A Randomized Clinical Trial. JAMA Otolaryngol Head Neck Surg 2018;144(7):605-12.

- Tan NCW, Psaltis AJ. Latest developments on topical therapies in chronic rhinosinusitis. Curr Opin Otolaryngol Head Neck Surg 2020;28(1):25-30.

- Tantilipikorn P, Tunsuriyawong P, Jareoncharsri P, Bedavanija A, Assanasen P, Bunnag C, et al. A randomized, prospective, double-blind study of the efficacy of dexpanthenol nasal spray on the postoperative treatment of patients with chronic rhinosinusitis after endoscopic sinus surgery. J Med Assoc Thai 2012;95(1):58-63.

- Thomas WW, 3rd, Harvey RJ, Rudmik L, Hwang PH, Schlosser RJ. Distribution of topical agents to the paranasal sinuses: an evidence-based review with recommendations. Int Forum Allergy Rhinol 2013;3(9):691-703.

- Wang J, Shen L, Huang ZQ, Luo Q, Li MY, Tu JH, et al. Efficacy of buffered hypertonic seawater in different phenotypes of chronic rhinosinusitis with nasal polyps after endoscopic sinus surgery: a randomized double-blind study. Am J Otolaryngol 2020;41(5):102554.

• Weissman JD, Fernandez F, Hwang PH. Xylitol nasal irrigation in the management of chronic rhinosinusitis: a pilot study. Laryngoscope 2011;121(11):2468-72.

• Yoder JS, Straif-Bourgeois S, Roy SL, Moore TA, Visvesvara GS, Ratard RC, *et al.* Primary amebic meningoencephalitis deaths associated with sinus irrigation using contaminated tap water. Clin Infect Dis 2012;55(9):e79-85.

만성 비부비동염의 약물치료
4-5. 생물학적 제제

김선태, 이기일

Graphic abstract

Currently, dupilumab and omalizumab are available for CRSwNP in Korea.

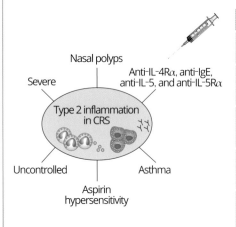

Biologics	Target
Dupilumab (Dupixent®)	IL-4Rα
Omalizumab (Xolair®)	free IgE
Mepolizumab (Nucala®)	IL-5
Reslizumab (Cinqair®)	IL-5
Benralizumab (Farsenra®)	IL-5Rα

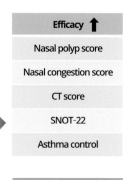

Efficacy ↑
Nasal polyp score
Nasal congestion score
CT score
SNOT-22
Asthma control

Safety
No serious ADR reported

Abbreviations:

ADR, adverse drug reaction; CRS, chronic rhinosinusitis; CRSwNP, chronic rhinosinusitis with nasal polyps; CT, computed tomography; IL, interleukin; R, receptor; SNOT-22, sino-nasal outcome test-22

1. 생물학적 제제의 필요성

비용종을 동반한 만성 비부비동염(chronic rhinosinusitis with nasal polyp, CRSwNP)에서 임상적으로 주로 사용되는 약물 치료나 수술적 치료에는 여러 가지 현실적인 어려움이 있다. 생리식염수 코세척, 국소 스테로이드제, 류코트리엔 억제제나 단기 항생제는 임상적인 효과가 크지 않아 비용종 형성의 전단계에서 유지요법 정도의 의미가 있다. 특히, 후각저하 증상은 일반적인 치료만으로 잘 해결되지 않으며, 전신 스테로이드제를 사용해야 하는 경우가 많지만 중단하면 그 효과가 지속되지 않고 다시 악화한다는 특징이 있다. 또한, 전신 스테로이드제는 고혈압, 당뇨, 감정변화, 수면장애 등의 단기적인 부작용 뿐만 아니라 장기적으로 복용하면 면역억제로 인한 감염 위험성 증가, 비만이나 호르몬 변화에 의한 내분비적 문제, 골다공증으로 인한 골절 위험성 증가, 백내장이나 녹내장 등의 안과적 문제, 불안, 우울증 같은 정신신경학적 합병증을 유발할 수 있다. 따라서, 유럽 EPOS 2020 (European Position Paper on Rhinosinusitis and Nasal Polyps 2020), 미국 ICAR 2021 (International Consensus Statement on Allergy and Rhinology 2021) 치료 가이드라인뿐 아니라 하기도 천식에서의 GINA 2019 (Global initiative for asthma 2019) 가이드라인에서 모두 동일하게 여러 가지 부작용을 고려하면 전신 스테로이드제는 지속적으로 사용하지 않을 것을 권고(recommendation against)하고 있다.

한편, 수술적 치료의 경우에는 약물치료에 비해 치료 효과는 높은 편이지만 여전히 재발하는 경우가 40-79% 정도 되며, 그중 재수술 비율은 약 36% 가량으로 높게 보고되고 있다. 이러한 점은 CRSwNP의 면역학적 염증반응이 다양하기 때문에 수술적 치료를 통해 해부학적으로 비용종을 제거하고 생리학적으로 부비동의 환기와 점액 섬모운동의 복원시키더라도 면역학적 염증반응 자체를 완벽하게 억제하지는 못한다고 이해할 수 있다.

실제로 CRS 환자의 40%에서는 적절한 약물치료(appropriate medical treatment)와 수술적 치료에도 불구하고 증상이 잘 조절되지 않는다. 특히, 재수술을 필요로 하는 비용종의 재발율은 수술 후 5년까지 약 20% 정도 되며, 내시경으로는 50% 정도에서 관찰된다. 이러한 재발성 비부비동염은 50% 이상에서 type 2 염증과 관계되는데, type 2 염증을 시사하는 호산구증가증은 재발을 예측하는 가장 강력한 인자이다. 이처럼 type 2 염증과 관계되는 CRSwNP는 재발성, 난치성인 경우가 많고, 반복적인 전신 스테로이드제 사용으로 인한 부작용으로 인해 새로운 치료 방법이 요구되고 있다.

　최근 천식환자에서 type 2 (anti-IL-5Rα, anti-IL-4Rα) 염증으로 전신 스테로이드제에 조절되지 않는 경우 여러 생물학적 제제(anti-IL-5, anti-IL-5R, anti-IL-5Rα, anti-IgE)가 효과적인 치료법으로 사용되고 있다. Type 2 CRSwNP 환자의 경우에도 비슷한 면역학적 기전을 가지고 있는데, 반복적인 수술로도 재발을 완벽히 억제할 수 없는 경우 생물학적 제제가 증상을 개선하고 재발을 방지하는 새로운 치료방법이 될 수 있다.

2. 조절되지 않는 중증 비용종을 동반한 만성 비부비동염 (uncontrolled severe CRSwNP)

　최근에 국제 비영리단체인 EUFOREA (European forum for research and education in allergy and airway diseases) 그룹에서 난치성 중증 CRSwNP에 관한 전문가 합의서 (expert board meeting)를 발표하였다. 이에 따르면, 중증(severe) CRSwNP은 비용종 점수가 8점 만점에 최소 4점 이상이면서 후/미각 저하, 코막힘, 콧물 등의 주증상과 후비루, 안면통, 안면압박감 등의 부증상이 지속되어 국소 스테로이드제 이외에 추가 치료가 필요한 경우로 정의하였다.

　또한, 조절되지 않는(uncontrolled) CRSwNP는 2년 이내에 장기적인 국소 스테로이드제와 최소 1회 이상의 전신 스테로이드제 치료를 받았거나 수술적 치료를 받았음에도 증상이 지속되거나 재발하는 경우로 정의하였다.

3. 생물학적 제제의 작용기전과 허가(approval) 현황

1) 생물학적 제제별 면역학적 기전

CRSwNP에서 사용되는 생물학적 제제는 type 2 염증을 일으키는 사이토카인과 세포를 표적으로 치료한다. 작용 단계나 위치에 따라 살펴보면 신호전달 경로(signaling pathway)에서 제1형 수용체와 제2형 수용체가 존재하는데, 제1형 수용체는 IL-4Rα와 공통감마체인(common gamma chain)으로 구성되어 있으며 IL-4에만 결합하고 제2형 수용체는 IL-4Rα와 IL-13Rα1으로 구성되며 IL-14과 IL-13에 모두 결합한다.

Dupilumab은 제1형과 제2형 수용체에 공통으로 존재하는 수용체 아형인 IL-4Rα를 표적으로 하기 때문에 IL-4와 IL-13을 동시에 억제할 수 있는 단클론 항체(monoclonal antibody)이다. 따라서, 면역학적으로 type 2 염증반응의 상위 단계(upstream)에서 주요 인자인 IL-4, IL-13 두 가지 사이토카인을 조절하기 때문에 직접적으로 B세포에 의해서 일어나는 IgE isotype switching (IL-4, IL-13), 상피세포에서 일어나는 염증물질 분비기전(IL-13)을 억제하고, IL-4에 의해서 일어나는 Th2 분화억제를 통해 Th2 세포에서 IL-5 분비를 저하시켜 호산구의 활성화를 막는 역할도 한다.

Omalizumab은 혈액 내 유리(free) IgE를 차단하여, IgE가 수용체인 FcεRI와 결합해서 호염기구(basophil)나 비만세포의 활성화에 의한 염증매개물질을 분비를 억제하고 FcεRI를 하향 조절(down-regulation)시키는 역할을 한다.

한편, mepolizumab이나 reslizumab은 type 2 염증에서 중요한 호산구를 조절하는 IL-5의 단클론항체이며, benralizumab은 호산구에 주로 존재하는 IL-5의 수용체 아형인 IL-5Rα를 차단하는 생물학적 제제이다.

2) 생물학적 제제의 국가별, 질환별 허가사항

CRSwNP에서 dupilumab의 경우에는 미국 FDA (US Food and Drug Administration)와 유럽 EMA (European Medicines Agency)에서 2019년, 국내 식품의약품안전처에서 2021년 상반기에 허가받았다. Dupilumab 허가 기준은 국내와 미국에서는 동일하게 '성인에서 적절히 조절되지 않는(inadequately controlled) 경우에 추가 유지 치료(add-on maintenance treatment)'라고 되어 있는데, 유럽에서는 '전신 스테로이드제나 수술로도 적절히 조절되지 않는 성인 환자에서 국소 스테로이드제에 추가 치료'라고 하여 보다 구체적으로 명시되어 있다.

Omalizumab은 CRSwNP에 관해 미국과 유럽에서 2020년, 국내에서 2021년 상반기에 허가를 받았다. 호산구를 조절하는 reslizumab, mepolizumab, benralizumab의 경우에는 현
재 조절되지 않는 호산구성 천식(poorly controlled eosinophilic asthma)에 관해서 국내외
에서 모두 허가를 받았으나, CRSwNP에 관해서는 국내에서 아직 허가를 받지 못한 상태이다.
Mepolizumab의 경우 CRSwNP에서 2021년 하반기에 미국에서 허가를 받았다(표 4-5-1).

표 4-5-1. 제 2형 염증 질환에서 생물학적 재제의 국가별 허가 현황(2021년 10월 1일 현재)

Biologics	Target action	Korea (MFDS)	United States (FDA)	Europe (EMA)
Dupilumab (Dupixent®)	Block IL-4Rα	CRSwNP (Mar, 2021) Atopic dermatitis (Mar, 2018) Type 2 asthma (Apr, 2020)	CRSwNP (Jun, 2019) Atopic dermatitis (Mar, 2017) Eosinophilic asthma (Oct, 2018)	CRSwNP (Oct, 2019) Atopic dermatitis (Jul, 2017) Type 2 asthma (May, 2019)
Omalizumab (Xolair®)	Bind free IgE	CRSwNP (Apr, 2021) Allergic asthma (May, 2007) Chronic idiopathic urticaria (Sep, 2017)	CRSwNP (Dec, 2020) Allergic asthma (Jun, 2003) Chronic idiopathic urticaria (May, 2014)	CRSwNP (Aug, 2020) Allergic asthma (Oct, 2005) Chronic idiopathic urticaria (Mar, 2014)
Mepolizumab (Nucala®)	Inhibits IL-5	Eosinophilic asthma (Apr, 2016)	Eosinophilic asthma (Nov, 2015) Churg-Strauss syndrome (Dec, 2017) Hypereosinophilic syndrome (Sep, 2020) CRSwNP (Jul, 2021)	Eosinophilic asthma (Sep, 2015) CRSwNP (Sep, 2021)* Churg-Strauss syndrome (Sep, 2021)* Hypereosinophilic syndrome (Sep, 2021)*
Reslizumab (Cinqair®)	Inhibits IL-5	Eosinophilic asthma (Sep, 2017)	Eosinophilic asthma (Mar, 2016)	Eosinophilic asthma (Aug, 2016)
Benralizumab (Farsenra®)	Block IL-5Rα	Eosinophilic asthma (Jun, 2019)	Eosinophilic asthma (Nov, 2017)	Eosinophilic asthma (Jan, 2018)

MFDS: Ministry of food and drug safety, FDA: U.S. food and drug administration, EMA: European medicines agency,
CRSwNP: Chronic rhinosinusitis with nasal polyps, IL: Interleukin, Churg-Strauss syndrome: Eosinophilic granulomatosis
with polyangiitis

*: positive opinion from EMA, not approved yet

4. 적응증과 효과판정

1) 생물학적 제제의 적응증

생물학적 제제의 적응증에 관해서는 아직 국제적으로 확립된 명확한 기준(international consensus)은 없는 실정이다. 하지만, 생물학적 제제의 면역학적 기전이 앞서 언급한 바와 같이 type 2 염증 반응을 억제한다는 점을 고려하면, 주요 치료 대상은 일반적인 약물치료나 수술적 치료에 반응이 좋지 않은 난치성 중증(uncontrolled severe) type 2 CRSwNP 환자라고 생각할 수 있다.

EPOS 2020 치료 가이드라인과 EUFOREA 전문가 합의서 등에 따르면, CRSwNP에서 생물학적 제제의 적응증은 이전에 수술적 치료 기왕력이 있는 양측성 비용종 환자에서는 5가지 조건 중 3가지, 수술을 받지 않은 환자에서 다음의 5가지 조건 중 4가지 이상을 만족하는 경우로 판단할 수 있다.

---

(1) 다음과 같은 제2형 염증반응의 증거: 광학 현미경 고배율 시야(high power field)당 10개 이상의 조직 호산구증가증, 혈액 호산구증가증 250/μL 이상, 혹은 total IgE 100 kU/L 이상

(2) 전신 스테로이드제 의존(연간 2차례 이상이거나 총 3개월 이상 지속 사용) 혹은 해당 약물의 금기인 환자

(3) 삶의 질 저하 증상(SNOT-22 점수 40 이상)

(4) 후각검사상 무후각증

(5) 스테로이드 흡입제가 필요한 천식 동반

---

2) 생물학적 제제의 치료효과 판정

EPOS 2020에서는 생물학적 제제 투여 이후 치료 반응 판정을 위해 5개의 임상 지표(① 비용종 크기 감소, ② 전신 스테로이드제 사용 감소, ③ 삶의 질 증상 호전, ④ 후각 호전, ⑤ 동반 질환 악영향 감소)를 제시하여 반응 정도에 따라 4개의 등급[우수(excellent): 5개 기준 모두 만족, 중간(moderate): 3-4개 기준 만족, 불량(poor): 1-2개 기준 만족 및 반응 없음(no response): 0가지]으로 평가할 것을 제시하고 있다. 생물학적 제제 투여 이후 초기인 16주 시점과 후기인 1년 시점에 반응 등급을 확인하여 반응 없음으로 판단되면 투여를 중단한다.

또한, EUFOREA 전문가 합의서에 따르면, 후각, 코막힘, 비용종 크기, SNOT-22 점수, 시각아날로그척도(visual analogue scale, VAS) 중 한 가지라도 호전을 보이면 치료 효과가 양호한 것으로 판단한다. 투여 6개월 시점에 치료 효과를 판정하여 지속적으로 투여할지, 수술이나 다른 생물학적 제제로 변경할지를 결정하는데, 치료 반응은 양호하지만 환자가 지속투여를 원하지 않는 경우에는 수술적 치료나 단기적으로 전신 스테로이드제 투여를 고려할 수 있다. 다만, 투여 12개월 시점에는 단기적 전신 스테로이드제를 고려하지 않는다.

5. 생물학적 제제별 특성과 권고수준(recommendation level)

CRSwNP에서 시행된 생물학적 제제에 관한 임상 연구 결과들을 표 4-5-2에 정리하였다.

1) Dupilumab (Dupixent®)

Dupilumab은 국내, 미국, 유럽에서 CRSwNP에서 치료제로 허가받은 두 가지 약 중 하나이다. Bachert 등은 2016년에 CRSwNP 환자 60명을 대상으로 16주간 시험군(dupilumab과 국소 스테로이드제 사용)과 대조군(국소 스테로이드제 사용)을 비교 분석한 무작위 대조시험 연구에서 시험군에서 비용종 점수가 유의하게 감소하였다고 보고하였다.

표 4-5-2. 비용종을 동반한 만성 부비동염에서 시행된 생물학적 제제별 임상 2상 및 3상 연구

Biologics	Trials	Side effect	Conclusion
Dupilumab	Bachert et al,[14] 2016 Phase 2	Nasopharyngitis, injection site reaction etc. no serious events	Improved endoscopic nasal polyp burden after 16 week, added with intranasal steroid
	Bachert et al,[15] 2019 Phase 3 (SINUS 24)	Worsening nasal polyps and asthma, need for surgery or oral steroid etc.	Improved polyp size, sinus opacification, and severity of symptoms in uncontrolled severe CRSwNP
	Bachert et al,[15] 2019 Phase 3 (SINUS 52)	Treatment-emergent adverse events of worsening of nasal polyps and asthma in 2 wk to every 4 wk	Rapid and also effective in comorbid asthma Relative long-term effectiveness in uncontrolled severe CRSwNP
Omalizumab	Pinto et al,[22] 2010 Phase 2	No information about side effect	Improvement in SNOT-20 at 3, 5, 6 months IgE plays a small role in CRS and the symptoms
	Gevaert et al,[23] 2013 Phase 3	Common cold, frontal headache and otitis media	Clinical efficacy for nasal polyps with comorbid asthma
	Gevaert et al,[21] 2020 Phase 3 (POLYP 1, 2)	Headache, arthralgia, abdominal pain, No anaphylaxis observed	Improved endoscopic, clinical, and patient-reported outcomes
Mepolizumab	Gevaert et al,[28] 2011	No information about side effect	Improved nasal polyp size for at least 1 month
	Bachert et al.[29] 2017	Comparable with that of placebo	Great reduction in the need for surgery and great improvement in symptoms
Reslizumab	Gevaert et al,[33] 2006	URI, no clinically meaningful adverse effect	A single injection reduced nasal polyp size for 4 wk in half of patients, nasal IL-5 levels predict the response

NPS: Nasal polyp score, wk: week, SNOT: Sino-nasal outcome test, URI: Upper respiratory tract infection, IL: Interleukin

이후에 장기 치료효과와 안전성을 체계적으로 비교분석한 다국적, 다기관의 대규모 연구 결과가 발표되었는데(LIBERTY SINUS-24, 52), 대상 환자들은 수술 기왕력, 비용종 점수, Lund-Mackay 점수, SNOT-22 점수, 후각 및 동반질환에서 난치성 중증 CRSwNP에 해당하였다. 해당 연구는 두 가지 그룹으로 나누어 진행되었는데, 276명의 SINUS-24 그룹 환자들은 dupilumab을 2주 간격으로 6개월(24주)간 피하주사를 투여받았으며, 448명의 SINUS-52 그룹 환자들은 동일하게 6개월간 주사투여 이후에, 추가 6개월 동안 1개월(4주) 간격으로 dupilumab을 투여받았으며 기간별로 국소 스테로이드제 투여 대조군과 비교 분석하였다. 6개월(24주) 시점(SINUS-24그룹)에 dupilumab 투여군과 대조군의 기준치 대비 평균값 변화(mean change from baseline)는 비용종 점수, 비폐색 점수, Lund-Mackay 점수가 dupilumab 투여군에서 통계적으로 우월하였다. 또한, 1년(52주) 시점(SINUS-52 그룹)에서도 비용종 점수, 비폐색 점수, Lund-Mackay 점수 면에서 유의한 차이를 보여 장기 투여의 효과를 확인하였다. 흥미로운 점은 6개월에서 1년 사이에는 2주 간격 투여와 1달 간격 투여에 결과적으로 큰 차이를 보이지 않아 유지기간에는 1달 간격으로 투여하는 것을 고려해볼 수 있다. 방사선학적으로도 이러한 dupilumab의 효과는 24주 시점에 양측 모든 부비동에서 확인되었으며, 52주 시점에는 더욱 유의하게 호전됨을 확인하였다. 또한, dupilumab은 빠른 효과를 기대할 수 있는데, 후각저하 측면에서 치료 초기(1개월 내)부터 호전되었으며, 천식이나 비스테로이드성 항염증제 과민증 등 동반질환이 있는 경우에도 유사하게 호전되는 것이 확인되었다.

난치성 중증 CRSwNP에서 dupilumab 투여 이후 주관적 증상 개선 효과에 대해 많은 연구들이 있다. 국소 스테로이드제에 불응성인 성인 CRSwNP 60명 환자를 대상으로 한 SNOT-22, 36-item short-form health survey (SF-36) 및 EQ-5D VAS (5-dimension EuroQoL questionnaire)를 통한 무작위 대조시험에 의하면, 후각저하, 비폐색, 농성비루, 후비루 및 집중력저하가 주요 증상이었는데, dupilumab 투여군에서 대조군에 비해 유의하게 연간 병가 사용이 적었고, 업무생산성이 높게 나타났다. Laidlaw 등은 난치성 중증(difficult-to-treat subgroup) CRSwNP와 아스피린 악화성 호흡기 질환 동반 군에서 dupilumab 투여 후 비용종 크기, 후각점수, SNOT-22뿐만 아니라 천식 조절 면에서도 유의하게 호전된다는 예비연구 결과(preliminary result)를 발표하였다. 또한, 천식을 동반한 경우 EQ-5D VAS를 이용한 연구에서도 dupilumab 투여군에서 대조군에 비해 유의한 호전을 보였다. Jonstam 등은 type 2 염증 환자에서 dupilumab 투여 이후 바이오마커의 변화를 측정하였는데, 비즙(nasal secretion)에서의 eotaxin-3 및 총 IgE는 감소하였고, 비용종 조직에서 ECP, eotaxin-2, eotaxin-3, IgE 및 IL-13의 감소를 보고하였다. 또한, Takabayashi 등은 dupilumab 투여 이후에 류코트리엔 대사 이상의 마커인 요중 LTE_4가 감소하고, 특징적으로 혈중 호산구 수치가 초기(16주경)에 일시적으로 증가한다는 점을 발표하였다.

또한, dupilumab은 증상 완화뿐만 아니라 환자의 치료 부담(treatment burden)도 줄여줄 수 있는데, 앞서 언급한 SINUS-52 연구에 따르면, 전신 스테로이드제 사용을 74.6%, 수술적 치료 요구도를 89.4% 가량 감소시킬 수 있다고 하였다.

한편, 흔하게 보고되는 부작용은 비인두염, 두통, 비출혈, 주사 부위 발진, 두통 등이 있으며, 드물게 결막염, 응급 치료를 요하는 호산구증가증, 호산구성 육아종증 다발혈관염(eosinophilic granulomatosis with polyangiitis; Churg-Strauss disease), 관절통을 동반한 호산구증가증 및 비용종이나 천식의 악화 등이 보고되고 있다.

ICAR 2021에서는 dupilumab의 근거수준은 A(다수의 무작위대조시험에 의해 입증)이며, 이득이 위해보다 많아서 다른 내과적 치료나 수술적 치료로써 호전되지 않는 중증 CRSwNP에서 사용할 것을 권장하고 있다.

2) Omalizumab (Xolair®)

Omalizumab도 CRSwNP에서 허가받아 현재 국내에서 사용 가능한 약제이다. Gevaert 등은 omalizumab 효용성과 안정성에 대한 임상 3상 이중암맹 무작위 대조시험(POLYP1, POLYP2)을 시행하였다. 본 연구도 앞서 언급한 dupilumab 3상 연구(LIBERTY SINUS-24, 52)와 비슷하게 두 가지 그룹으로 진행되었는데, 국소 스테로이드제에 omalizumab 투여(2주 혹은 4주 간격)군과 국소 스테로이드제를 단독 투여한 대조군을 기간별로 비교 분석하였으며 동일한 디자인으로 POLYP1, POLYP2 두 그룹으로 나누어 이중(replicate)으로 진행하였다. 138명의 POLYP1 그룹 환자와 127명의 POLYP2 그룹 환자들의 비용종 점수는 6점이상, SNOT-22 점수는 60 정도를 보여 상당한 삶의 질 저하를 보이는 중증 CRSwNP에 해당하였다. 6개월(24주) 시점에 기준치 대비 평균 변화량(mean change from baseline)은 omalizumab 투여군 대 대조군에서 각각 비용종 점수 -1.08 대 0.06 (POLYP1) 및 -0.90 대 -0.31 (POLYP2), 비폐색 점수 -0.89 대 -0.35 (POLYP1) 및 -0.70 대 -0.20 (POLYP2),

SNOT-22 점수 -24.7 대 18.6 (POLYP1,) 및 -21.6 대 6.6 (POLYP2)으로 omalizumab 투여군에서 통계적으로 우월한 효과를 보였다. 이 외의 연구에서도 증상이나 임상 소견면에서 omalizumab에 대한 여러 긍정적인 연구들이 보고되어 있지만, 대부분 CRSwNP 환자 샘플 수가 적고 여러 결과를 체계적으로 측정하지 못한 방법적인 한계가 있다. 또한, omalizumab 은 약동학과 관련된 바이오마커 변화에 관한 연구가 아직까지 부족한 실정이다.

위의 POLYP1, POLYP2 임상 3상 연구에 따르면, 한 가지 이상의 부작용을 경험한 비율이 50.4%라고 하였는데 대부분 심각하지 않은(tolerable) 수준이었으며 대조군에서와 비슷하여 omalizumab의 특이 부작용이라고 할 수는 없다고 하였다. 보고되는 부작용으로는 흔한 순서대로 두통(8%), 비인두염(6%), 주사부위 발진(4%), 천식 악화(4%), 복통(3%), 관절통(3%), 허리통증(3%), 어지러움(3%), 비출혈(3%) 등이 있는데 드물게 아나필락시스 가능성이 있다.

한편, Gevert 등은 천식을 동반한 CRSwNP 환자를 피부단자검사 결과에 따라 알레르기성(n=13), 비알레르기성(n=11)으로 나누어 omalizumab 투여 전후 비용종 점수, CT, 증상 점수 등을 대조군과 비교 분석하여 천식을 동반한 비용종에서 알레르기 여부에 관계없이 임상적 효과가 있음을 확인하였다. 이를 통해 상기도와 하기도 모두에서 국소 IgE 형성이 질환 악화에 중요하게 작용하며 치료 타겟이 된다는 것을 알 수 있다. 또한, 아스피린 악화성 호흡기 질환, 천식이 동반된 경우에도 omalizumab 투여 후 상기도 기능과 하기도 기능이 함께 개선된다는 여러 연구결과들이 있다.

ICAR 2021에 따르면, CRSwNP에서 omalizumab의 근거수준은 B(소수의 무작위 대조시험으로 입증)인데 이득과 위해를 고려하면 내과적 치료나 수술적 치료에 반응이 없고, 조절되지 않는 알레르기 천식(uncontrolled allergic asthma)을 동반한 중증 CRSwNP에서 선택사항(option)으로 고려하거나 약하게 권장(weak recommendation)하고 있다.

3) Mepolizumab (Nucala®), reslizumab (Cinqair®), benralizumab (Farsenra®)

Mepolizumab, reslizumab, benralizumab에 관해서 CRS에서 체계적인 연구는 많지 않다. Mepolizumab에 관해 중증 CRSwNP에서 비용종 크기가 효과적으로 감소하고, 재수술적 치료의 필요성이 감소한다는 보고가 있다. Han 등은 407명을 대상으로 한 3상 임상 시험

(StudY in NAsal Polyps patients to assess the Safety and Efficacy of mepolizumab, SYNAPSE study)을 통해 mepolizumab이 재발성 중증(recurrent severe) CRSwNP 환자에서 비용종 크기, 코막힘 증상을 유의하게 호전시킨다고 발표하였다.

ICAR 2021에서는 mepolizumab의 근거 수준을 C, 조절되지 않는 호산구성 천식(poorly controlled eosinophilic asthma)을 동반한 중증 CRSwNP에서 선택사항(option)으로 권고하고 있다. 참고로, mepolizumab의 경우에도 아스피린 악화성 호흡기 질환을 동반한 비용종 환자에서 효과가 있다는 보고가 있다. 또한, 중증 호산구성 천식 환자를 대상으로 한 국내 3상 연구(DREAM, MENSA study)에서 mepolizumab 투여군이 폐기능검사상 FEV1 (Forced expiratory volume in one second) 수치, 천식 증상 점수(Asthma control questionnaire, St George's Respiratory Questionnaire)면에서 대조군에 비해 유의하게 호전되었다. 이를 통해 한국인에서 천식에 관해 mepolizumab의 치료 효과가 입증되었는데, CRSwNP에서도 기대해볼 수 있다고 판단된다.

Reslizumab에 관해서는 CRSwNP에서 비용종 크기를 감소시킨다는 한 개의 무작위 대조시험이 있다. ICAR 2021 근거 수준은 C이며 조절되지 않는 호산구성 천식(poorly controlled eosinophilic asthma)을 동반한 경우에 선택사항으로 사용하는 것을 고려할 수 있다.

최근, benralizumab에 관한 3상 임상 시험(OSTRO study) 결과가 발표되었는데 중증 CRSwNP에서 대조군에 비해 비용종 크기, 코막힘 점수를 유의하게 호전시켰으며 특히 천식을 동반하고 혈중 호산구 수치가 높은 환자에서 큰 효과를 보인다고 하였다.

6. 생물학적 제제의 비교

아직까지 CRSwNP에서 생물학적 제제별로 직접적인 비교 임상 연구는 문헌상 발표되지 않았지만 소수의 간접(indirect) 비교 문헌이 발표되었다. Hellings 등은 최근 CRSwNP에서 시행된 연구 중 비교적 잘 수행된 임상 2상 및 3상 연구를 추출하여 생물학적 제제의 효과를 간접적으로 비교하였다. 연구 간에 다소 방법론적인 이질성 때문에 단순 비교는 쉽지 않지만, 모든 생물학적 제제에서 대조군에 비해서 대부분 긍정적인 효과가 있다고 하였다. Peters

등은 24주나 52주 투여 시점에서 dupilumab이 omalizumab의 경우에서보다 비용종 크기 면에서 더 우월한 효과를 보인다고 하였다. 하지만 비용종 점수의 개선 정도가 가장 우수하게 나타난 dupilumab의 경우에도 투여 전에 비해 16주 투여 시점에서 5.64에서 3.75 (SINUS 24), 6.18에서 4.46 (SINUS 52)으로 1.89점 및 1.72점의 호전 정도를 보였는데 이는 임상적 인 면에서 큰 의미라고 볼 수는 없다. 반면에, SNOT-22를 바탕으로 삶의 질과 증상 면에서 살펴보면, dupilumab에서 29.42점 및 27.12점 정도의 호전을 보여 가장 크게 나타났지만, mepolizumab (22.70점)이나 omalizumab (21.59 및 24.70)에서도 상당한 개선효과를 보 였다.

후각 기능의 회복에 있어서는 특징적으로 dupilumab이 다른 mepolizumab이나 omali- zumab에 비해 우월하였는데, 구체적으로는 투여 초기인 2–3개월 내에 빠르고 확연한 호전 을 보이고 이후 유지되었다. 방사선학적 호전에 관해서는 연구에 따라 수행되지 않은 경우가 많아 비교분석하기에는 어려움이 있다.

따라서, 생물학적 제제를 간접 비교한 리뷰 논문을 바탕으로 비용종 점수와 후각개선 효과 는 dupilumab에서 우월하고, 삶의 질 개선은 dupilumab, omalizumab 및 mepolizumab 모두에서 긍정적이라고 추정할 수 있다.

7. 생물학적 제제의 국내 현황

생물학적 제제별로 식품의약품 안전처 의약품통합정보시스템(nedrug.mdfs.go.kr) 정보를 바탕으로 하여, CRSwNP을 중심으로 국내에서 적응증(허가사항), 용법 및 용량에 관하여 다 음과 같이 정리하였다.

1) Dupilumab의 국내 현황

현재 dupilumab은 국내에서 아토피피부염, 천식, CRSwNP에서 적응증이 승인된 상태이다. 아토피피부염에서는 만 12세 이상의 청소년 및 성인에서 기존 치료에 반응이 없는 중증인 경우에 단독 혹은 국소 스테로이드제와 병용 투여한다. 또한, 천식에 관해서는 기존 치료에 적절하게 조절되지 않는 중증 천식으로서 다음 중 하나에 해당해야 한다.

> (1) 중증 호산구성 천식[혈중 호산구 $\geq$ 150/$\mu\ell$ 또는 호기산화질소(FeNO) $\geq$ 25 ppb]
> (2) 전신 스테로이드제 의존성 중증 천식

반면에, CRSwNP에서는 '만 18세 이상 성인에서 기존치료에 적절하게 조절되지 않는 경우에 추가 유지 치료'라고 되어 있어 아토피피부염, 천식에 비해 허가받은 적응증은 상대적으로 광범위한 편이다.

용법, 용량에 관해서도 아토피피부염, 천식에서는 체중이나 초회 또는 유지 여부에 따라 용량을 다르게 투여해야 하지만 CRSwNP에서는 2주 간격으로 피하투여하는 것으로 되어 있어 상대적으로 단순하다. 제형은 프리필드(prefilled) 형태로 되어있고 300 mg을 피하로 투여한다.

안전성에 관해서는 dupilumab 투여 이후 심각한 부작용이 보고되지는 않았으나 샘플 수가 적어 아직까지 결론을 내리기는 어려우며, 현재 국내에서 CRSwNP 환자에서 시판 후 임상시험(4상)이 진행되고 있어 조금 더 지켜봐야 할 것으로 판단한다.

2) Omalizumab의 국내 현황

Omalizumab은 국내에서 알레르기성 천식, 만성 특발성 두드러기, CRSwNP에서 허가된 상태인데, 특히 알레르기성 천식에 관해서는 현재 다음 세 가지 조건을 만족하는 경우에 건강보험 급여가 적용되고 있다.

> (1) 통년성 대기 항원에 대한 시험관 내(in vitro) 검사 양성 또는 피부반응 양성
> (2) 빈번한 주간 증상이나 야간에 깨어나는 증상 및 폐기능 저하(FEV1 < 80%)
> (3) 고용량 흡입용 스테로이드 및 장기 지속형 흡입용 베타2 작용제의 투여에도 불구하고 중증 천식 악화가 여러 번 기록된 경우

Dupilumab과 마찬가지로 omalizumab에서도 CRS에 관해서는 '기존 치료에 적절하게 조절되지 않는 CRSwNP의 추가 유지 치료'라고 되어 있어 허가받은 적응증은 비교적 광범위한 편이다.

Omalizumab의 제형은 바이알(vial), 프리필드(75 mg, 150 mg) 형태로 되어 있고 피하주사한다. 투여 용량과 투여 빈도는 알레르기성 천식 및 CRSwNP에서 치료 시작 전 측정하는 IgE 기저치와 체중에 의해 결정하며, 1회 75-600 mg을 매 2주 간격 또는 매 4주 간격으로 피하투여한다. 만성 특발성 두드러기에서는 150 mg 또는 300 mg을 매 4주마다 피하주사 한다.

3) Mepolizumab의 국내 현황

Mepolizumab은 국내에서 성인에서 기존치료에 조절되지 않는 다음의 중증 호산구성천식(severe eosinophilic asthma)치료의 추가 유지요법으로 허가받은 상태이다.

> (1) 치료 시작 시 혈중호산구 ≥ 150/㎕ 또는
> (2) 치료 시작 전 12개월 이내에 혈중호산구 ≥ 300/㎕

용법 및 용량으로는 이 약을 재구성하여 1 mL(이 약 100 mg)을 매 4주마다 상완, 허벅지, 또는 복부에 피하주사한다. 최근 미국에서 CRSwNP에 관해 허가받았으나, 아직까지 국내에서는 부비동 분야에 허가받지 못한 상태이다.

8. 생물학적 제제의 현재와 미래

1) 생물학적 제제의 임상적 한계

CRSwNP에서 생물학적 제제의 사용과 선택은 현실적으로 앞서 언급한 해당 국가에서의

허가 여부에 따라서 결정되는 경우가 많다. 개별 약제에 대한 구체적인 적응증, 임상 상황에 맞는 최적 약물의 선택, 혹은 한 약제에 효과가 없지만 다른 종류 약제에 효과가 있는지 등 다양한 임상상황에서의 생물학적 제제 사용에 대해서 아직까지 문헌상 정보가 부족하며 조만간 관련 후속 연구들이 발표될 것으로 기대한다. 또한, 국내에서는 현재 의료 보험 급여 보장이 되지 않아 환자의 경제적인 사정에 따라 널리 사용되기 어려운 측면이 있다.

또한, 이러한 생물학적 제제의 장기적인 효용성에 관해서는 아직까지 명확하게 연구되지 않았다. 특히, 투여 중단 후 재발에 관해서는 우려되는 측면이 있는데, 이와 관련하여 많은 연구들이 필요할 것으로 생각한다.

생물학적 제제의 적응증과 효과 판정은 앞서 EPOS 2020 가이드라인에서 언급한 바와 같이 대부분 임상적 판단으로 이루어진다. 하지만, 국내에서 type 2 염증 유병률과 비용종의 세포나 사이토카인 특성이 서양에서와는 다르기 때문에 유럽 기반의 EPOS 2020 가이드라인에서 제시하는 적응증과 평가 기준만으로 모두 대변하기는 어려우며 국내 특성을 반영한 기준이 필요하다.

2) 미래의 연구 전망

EPOS 2020 가이드라인에서의 반응 평가 기준도 비교적 추상적이고 모호한 편이며, 아직까지 이에 대한 구체적인 국제적 합의(international consensus)는 도출되지 못한 상태이다. 특히, 치료 이후 효과 판정을 위해 혈액수치나 내시경적 혹은 방사선학적 결과를 바탕으로 보다 객관적인 기준이 마련되어야 할 것이라고 생각된다. 생물학적 제제의 투여 기간과 간격에 관해서는 앞서 리뷰한 임상 3상 연구에서는 24주와 52주 동안 2주나 4주 간격으로 투여하였지만 현실적으로 모든 환자에서 동일하게 적용하기에 어려운 측면이 있어 증상, 중증도 및 순응도 등을 종합적으로 고려해서 결정해야 한다. 그리고, 수술 전후 시기에 따라 생물학적 제제의 효과는 동일한지, 언제 어떻게 투여하는 것이 적절한지, 교차 투여나 중복 투여는 가능한지 등에 관해 구체적인 프로토콜이 정립되어야 한다. 지속적으로 사용해야 하는 경우 환자 상태에 따라 유지 용법의 용량과 기간을 어떻게 할지 정하는 것도 중요하다. CRSwNP에서 생물학적 제제 사용의 이러한 구체적인 내용들은 앞으로 중요한 연구 주제가 될 것이다.

면역학적 기전상 type 2 염증의 억제 외에도 type 1 염증 반응을 억제하거나, IL-25, IL-

33 및 TSLP와 같은 상피세포 유래 사이토카인이나 IgE 변환(isotype switching)의 전단계인 B세포를 조절하는 등 다른 개념의 생물학적 제제를 생각해볼 수 있다. 실제로 이에 관해서 기초 수준의 많은 연구들이 진행되고 있으나, 아직까지 임상적으로 사용할 수 있는 단계는 아니며 기대처럼 면역학적으로 보다 상위 기전을 억제하고 다른 신호전달 체계를 조절할 수 있을지 앞으로 지켜봐야 할 것으로 생각된다.

References

- Bachert C, Han JK, Desrosiers M, Hellings PW, Amin N, Lee SE, *et al.* Efficacy and safety of dupilumab in patients with severe chronic rhinosinusitis with nasal polyps (LIBERTY NP SINUS-24 and LIBERTY NP SINUS-52): results from two multicentre, randomised, double-blind, placebo-controlled, parallel-group phase 3 trials. Lancet 2019;394(10209):1638-50.

- Bachert C, Han JK, Wagenmann M, Hosemann W, Lee SE, Backer V, *et al.* EUFOREA expert board meeting on uncontrolled severe chronic rhinosinusitis with nasal polyps (CRSwNP) and biologics: Definitions and management. J Allergy Clin Immunol 2021;147(1):29-36.

- Bachert C, Hellings PW, Mullol J, Hamilos DL, Gevaert P, Naclerio RM, *et al.* Dupilumab improves health-related quality of life in patients with chronic rhinosinusitis with nasal polyposis. Allergy 2020;75(1):148-57.

- Bachert C, Hellings PW, Mullol J, Naclerio RM, Chao J, Amin N, *et al.* Dupilumab improves patient-reported outcomes in patients with chronic rhinosinusitis with nasal polyps and comorbid asthma. J Allergy Clin Immunol Pract 2019;7(7):2447-9 e2.

- Bachert C, Mannent L, Naclerio RM, Mullol J, Ferguson BJ, Gevaert P, *et al.* Effect of Subcutaneous Dupilumab on Nasal Polyp Burden in Patients With Chronic Sinusitis and Nasal Polyposis: A Randomized Clinical Trial. JAMA 2016;315(5):469-79.

- Bachert C, Sousa AR, Lund VJ, Scadding GK, Gevaert P, Nasser S, *et al.* Reduced need for surgery in severe nasal polyposis with mepolizumab: Randomized trial. J Allergy Clin Immunol 2017;140(4):1024-31 e14.

- Bachert C, Zhang L, Gevaert P. Current and future treatment options for adult chronic rhinosinusitis: Focus on nasal polyposis. J Allergy Clin Immunol 2015;136(6):1431-40.

- Bachert C, Zhang N, Cavaliere C, Weiping W, Gevaert E, Krysko O. Biologics for chronic rhinosinusitis with nasal polyps. J Allergy Clin Immunol 2020;145(3):725-39.

- Bidder T, Sahota J, Rennie C, Lund VJ, Robinson DS, Kariyawasam HH. Omalizumab treats chronic rhinosinusitis with nasal polyps and asthma together-a real life study. Rhinology 2018;56(1):42-5.

- C. Bachert JKH, M. Desrosiers, P. Gevaert, E. Heffler, C. Hopkins, J.R. Tversky, P. Barker, D. Cohen, C. Emson, V. H. Shih, S. Necander, J. L. Kreindler, M. Jison, V. Werkström. Efficacy and safety of benralizumab for the treatment of chronic rhinosinusitis with nasal polyps: results from the phase III OSTRO trial. EAACI Hybrid Congress 2021;2021.

- DeConde AS, Mace JC, Levy JM, Rudmik L, Alt JA, Smith TL. Prevalence of polyp recurrence after endoscopic sinus surgery for chronic rhinosinusitis with nasal polyposis. Laryngoscope 2017;127(3):550-5.

- Fokkens WJ, Lund V, Bachert C, Mullol J, Bjermer L, Bousquet J, et al. EUFOREA consensus on biologics for CRSwNP with or without asthma. Allergy 2019;74(12):2312-9.

- Fokkens WJ, Lund VJ, Hopkins C, Hellings PW, Kern R, Reitsma S, et al. European Position Paper on Rhinosinusitis and Nasal Polyps 2020. Rhinology 2020;58(Suppl S29):1-464.

- Gan EC, Habib AR, Hathorn I, Javer AR. The efficacy and safety of an office-based polypectomy with a vacuum-powered microdebrider. Int Forum Allergy Rhinol 2013;3(11):890-5.

- Gevaert P, Calus L, Van Zele T, Blomme K, De Ruyck N, Bauters W, et al. Omalizumab is effective in allergic and nonallergic patients with nasal polyps and asthma. J Allergy Clin Immunol 2013;131(1):110-6 e1.

- Gevaert P, Lang-Loidolt D, Lackner A, Stammberger H, Staudinger H, Van Zele T, et al. Nasal IL-5 levels determine the response to anti-IL-5 treatment in patients with nasal polyps. J Allergy Clin Immunol 2006;118(5):1133-41.

- Gevaert P, Omachi TA, Corren J, Mullol J, Han J, Lee SE, et al. Efficacy and safety of omalizumab in nasal polyposis: 2 randomized phase 3 trials. J Allergy Clin Immunol 2020;146(3):595-605.

- Gevaert P, Van Bruaene N, Cattaert T, Van Steen K, Van Zele T, Acke F, et al. Mepolizumab, a humanized anti-IL-5 mAb, as a treatment option for severe nasal polyposis. J Allergy Clin Immunol 2011;128(5):989-95 e1-8.

- Han JK, Bachert C, Fokkens W, Desrosiers M, Wagenmann M, Lee SE, et al. Mepolizumab for chronic rhinosinusitis with nasal polyps (SYNAPSE): a randomised, double-blind, placebo-controlled, phase 3 trial. Lancet Respir Med 2021;9(10):1141-53.

- Hayashi H, Mitsui C, Nakatani E, Fukutomi Y, Kajiwara K, Watai K, et al. Omalizumab reduces cysteinyl leukotriene and 9alpha,11beta-prostaglandin F2 overproduction in aspirin-exacerbated respiratory disease. J Allergy Clin Immunol 2016;137(5):1585-7 e4.

- Hellings PW, Verhoeven E, Fokkens WJ. State-of-the-art overview on biological treatment for CRSwNP. Rhinology 2021;59(2):151-63.

- Hernandez ML, Mills K, Almond M, Todoric K, Aleman MM, Zhang H, et al. IL-1 receptor antagonist reduces endotoxin-induced airway inflammation in healthy volunteers. J Allergy Clin Immunol 2015;135(2):379-85.

- Jonstam K, Swanson BN, Mannent LP, Cardell LO, Tian N, Wang Y, *et al.* Dupilumab reduces local type 2 pro-inflammatory biomarkers in chronic rhinosinusitis with nasal polyposis. Allergy 2019;74(4):743-52.

- Kaur D, Hollins F, Woodman L, Yang W, Monk P, May R, *et al.* Mast cells express IL-13R alpha 1: IL-13 promotes human lung mast cell proliferation and Fc epsilon RI expression. Allergy 2006;61(9):1047-53.

- Khan A, Vandeplas G, Huynh TMT, Joish VN, Mannent L, Tomassen P, *et al.* The Global Allergy and Asthma European Network (GALEN rhinosinusitis cohort: a large European cross-sectional study of chronic rhinosinusitis patients with and without nasal polyps. Rhinology 2019;57(1):32-42.

- Kim DW. Can Neutrophils Be a Cellular Biomarker in Asian Chronic Rhinosinusitis? Clin Exp Otorhinolaryngol 2019;12(4):325-6.

- Kim MK, Park HS, Park CS, Min SJ, Albers FC, Yancey SW, *et al.* Efficacy and safety of mepolizumab in Korean patients with severe eosinophilic asthma from the DREAM and MENSA studies. Korean J Intern Med 2021;36(2):362-70.

- Laidlaw TM, Buchheit KM. Biologics in chronic rhinosinusitis with nasal polyposis. Ann Allergy Asthma Immunol 2020;124(4):326-32.

- Laidlaw TM, Mullol J, Fan C, Zhang D, Amin N, Khan A, *et al.* Dupilumab improves nasal polyp burden and asthma control in patients with CRSwNP and AERD. J Allergy Clin Immunol Pract 2019;7(7):2462-5 e1.

- Lang DM, Aronica MA, Maierson ES, Wang XF, Vasas DC, Hazen SL. Omalizumab can inhibit respiratory reaction during aspirin desensitization. Ann Allergy Asthma Immunol 2018;121(1):98-104.

- Mauer Y, Taliercio RM. Managing adult asthma: The 2019 GINA guidelines. Cleve Clin J Med 2020;87(9):569-75.

- Mostafa BE, Fadel M, Mohammed MA, Hamdi TAH, Askoura AM. Omalizumab versus intranasal steroids in the post-operative management of patients with allergic fungal rhinosinusitis. Eur Arch Otorhinolaryngol 2020;277(1):121-8.

- Nagarkar DR, Poposki JA, Tan BK, Comeau MR, Peters AT, Hulse KE, *et al.* Thymic stromal lymphopoietin activity is increased in nasal polyps of patients with chronic rhinosinusitis. J Allergy Clin Immunol 2013;132(3):593-600 e12.

- Orlandi RR, Kingdom TT, Smith TL, Bleier B, DeConde A, Luong AU, *et al.* International consensus statement on allergy and rhinology: rhinosinusitis 2021. International forum of allergy & rhinology 2021;11(3):213-739.

- Peters AT, Han JK, Hellings P, Heffler E, Gevaert P, Bachert C, *et al.* Indirect Treatment Comparison of Biologics in Chronic Rhinosinusitis with Nasal Polyps. J Allergy Clin Immunol Pract 2021;9(6):2461-71 e5.

- Pinto JM, Mehta N, DiTineo M, Wang J, Baroody FM, Naclerio RM. A randomized, double-blind, placebo-controlled trial of anti-IgE for chronic rhinosinusitis. Rhinology 2010;48(3):318-24.

- Rudmik L, Soler ZM. Medical Therapies for Adult Chronic Sinusitis: A Systematic Review. JAMA 2015;314(9):926-39.

- Shin HW, Kim DK, Park MH, Eun KM, Lee M, So D, *et al.* IL-25 as a novel therapeutic target in nasal polyps of patients with chronic rhinosinusitis. J Allergy Clin Immunol 2015;135(6):1476-85 e7.

- Tetsuji Takabayashi SF, Claus Bachert, Seong H. Cho, Brian N. Swanson, Sivvan Harel, Leda P. Mannent, Nikhil Amin, Hiroyuki Fujita, Tomoyuki Inoue, Alexandre Jagerschmidt. Dupilumab Reduces Blood, Urine, and Nasal Biomarkers of Type 2 Inflammation in Patients With Chronic Rhinosinusitis With Nasal Polyps in the Phase 3 SINUS-52 Trial. the 59th Annual Meeting of the Japanese Rhinologic Society. Tokyo, Japan; Oct 10-11, 2020.

- Tuttle KL, Buchheit KM, Laidlaw TM, Cahill KN. A retrospective analysis of mepolizumab in subjects with aspirin-exacerbated respiratory disease. J Allergy Clin Immunol Pract 2018;6(3):1045-7.

- Van Zele T, Gevaert P, Holtappels G, Beule A, Wormald PJ, Mayr S, *et al.* Oral steroids and doxycycline: two different approaches to treat nasal polyps. J Allergy Clin Immunol 2010;125(5):1069-76 e4.

- Vannella KM, Ramalingam TR, Borthwick LA, Barron L, Hart KM, Thompson RW, *et al.* Combinatorial targeting of TSLP, IL-25, and IL-33 in type 2 cytokine-driven inflammation and fibrosis. Sci Transl Med 2016;8(337):337ra65.

- Wang H, Pan L, Liu Z. Neutrophils as a Protagonist and Target in Chronic Rhinosinusitis. Clin Exp Otorhinolaryngol 2019;12(4):337-47.

V

만성 비부비동염의
수술 치료

V

만성 비부비동염의 수술 치료
5-1. 부비동 내시경 수술

김창훈, 조형주

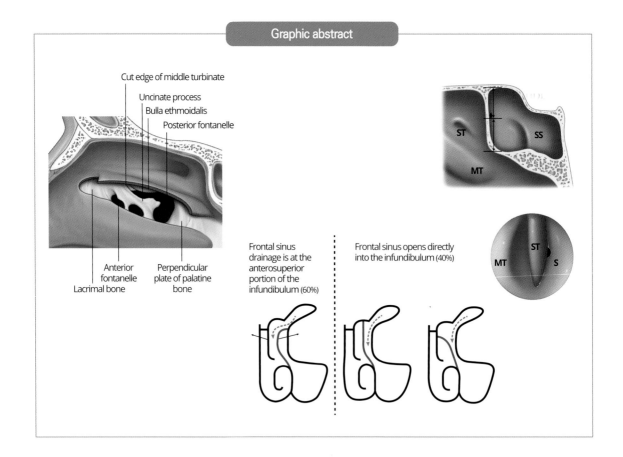

Graphic abstract

Cut edge of middle turbinate
Uncinate process
Bulla ethmoidalis
Posterior fontanelle

Anterior fontanelle
Lacrimal bone
Perpendicular plate of palatine bone

ST
SS
MT

ST
MT
S

Frontal sinus drainage is at the anterosuperior portion of the infundibulum (60%)

Frontal sinus opens directly into the infundibulum (40%)

1. 수술 적응증

부비동 내시경 수술(endoscopic sinus surgery, ESS)은 만성 비부비동염(chronic rhinosinusitis, CRS)이 약물치료에도 반응하지 않는 경우에만 고려되어야 한다는 다소 모호한 개념이 내시경 수술이 처음 소개된 이후로 오랜 기간 동안 적응증으로 여겨져 왔다. 그러나 약물치료의 종류와 기간, 그리고 환자의 치료 순응도에 따라 달라질 수 있으므로 명확한 기준은 없는 상태이다. 총 387개의 논문을 이용한 한 메타분석에서는 21%만이 약물치료를 수술 전에 시행했다는 분석이 있다. 국소 스테로이드 스프레이는 91%에서 평균 8주 사용하였고 경구용 스테로이드를 61%에서 평균 18일을 사용하였으며, 경구용 항생제는 89%에서 평균 23일, 비강 세척은 39%, 경구용 항히스타민은 11%에서 사용하였다. 한 연구에서는 환자의 증상을 포함해서 다양한 임상인자들을 분석한 결과 수술 전 SNOT-22 설문지를 통해 평가된 환자 증상의 중증도가 수술적 치료 여부를 결정하는 가장 중요한 요소로 분석되었고 수술 후 예후에도 가장 영향을 많이 미쳤다.

Rudmik 등은 근거 중심의 부비동 수술의 적응증을 제시하기 위해 624명의 성인 CRS 환자를 분석하였다. 합병증이 발생하지 않는 CRS에서 비용종이 동반된 경우는 Lund-Mackay 점수가 1 이상이면서 최소 8주 이상의 국소 스테로이드 스프레이 사용과 경구용 스테로이드 단기 사용 그리고 치료 후에도 SNOT-22가 20점 이상인 경우 수술을 고려할 수 있다고 분석하였으며 비용종이 동반되지 않은 경우는 Lund-Mackay 점수가 1 이상이면서 최소 8주 이상의 국소 스테로이드 스프레이 사용과 단기간의 경구용 항생제 사용 혹은 저용량 장기 항염-항생제 사용, 그리고 치료 후에도 SNOT-22가 20점 이상인 경우 수술을 고려할 수 있다. 이러한 사항들은 절대적 기준은 아니지만, 환자에 따라 적절히 고려한다면 불필요한 수술을 피할 수 있을 것이다.

2. 수술 전 영상검사와 수술용 영상 유도 항법장치의 유용성

American College of Radiology 그룹에서는 CRS의 진단에 사용되는 컴퓨터 단층촬영 (computed tomography, CT)은 조영제를 사용하지 않는 것을 우선적으로 권고하고 있다. CRS 진단 후 치료 과정에서 CT를 촬영하는 시점은 가능하면 수술적 치료가 필요하다고 판단되는 때에 시행하는 것이 바람직하다. CT 검사는 수술 전 병변의 존재 유무와 범위를 확인하고 해부학적으로 수술 중 발생할 수 있는 합병증의 위험성을 예측하기 위하여 반드시 필요하다. CT에서 사상오목 부위(cribriform niche)는 양측의 대칭성과 깊이를 확인해야 하며 지판(lamina papyracea)은 골결손이 존재하는지 살펴보아야 한다. 접형동(sphenoid sinus)은 부비동 내로 돌출된 시신경관(optic canal)과 내경동맥관(internal carotid artery canal)의 골미란 등이 있는지 확인해야 한다. 또한, 전사골동맥(anterior ethmoidal artery) 과 후사골동맥(posterior ethmoidal artery)도 위치 등을 확인하는 것이 좋다.

수술 전 시행되는 CT 검사의 시기에 대해서는 아직까지 명확한 기준은 없다. 수술이 예정된 환자에서 평균 2년 정도 경과되었을 때 수술 전 CT를 재촬영하였는데, Lund-Mackay 점수로 평가한 결과 이전 CT와 유의한 차이가 없었다는 보고가 있다.

수술 중 사용되는 영상 유도 항법장치(image guidance navigation system)은 사용이 보편화되었으며, ESS에서 표 5-1-1의 기준에 해당되는 경우 의료보험 급여 대상(본인부담률 50%)에 해당되며, 최근 사용이 증가하고 있다. 미국 이비인후과학회에서는 표 5-1-1의 경우 항법장치 사용을 권고하고 있다.

항법장치를 사용해서 수술을 시행한 경우 수술 중 뇌척수액 유출의 합병증이 현저히 감소된 보고가 있었다. 수술 소요시간 혹은 수술 중 출혈량은 대부분의 연구에서 항법장치를 사용한 환자군이 더 심한 경우가 많아 정확한 비교는 어렵다. 수술 후 결과는 환자의 삶의 질이 항법장치를 사용했을 때 더 유의하게 개선되었음이 보고되었다. 국내 연구에서는 비부비동의 반전성 유두종 수술에서 항법장치를 사용했을 때 재발률 및 합병증 발생에 있어서 더 좋은 결과를 얻을 수 있었다.

표 5-1-1. 영상 유도 항법장치(무탐침 정위기법)의 적용 기준

한국 보험 급여 기준	AAOHNS guidelines
부비동 재수술	Revision sinus surgery
비강, 부비동의 용종	Distorted sinus anatomy of developmental, postoperative, or traumatic origin
비강, 부비동의 발육이상, 해부학적 이상	Extensive sino-nasal polyposis
외상 및 종양으로 인한 정상적인 해부학적 지표의 소실	Pathology involving the frontal, posterior ethmoid, and sphenoid sinuses
	Disease abutting the skull base, orbit, optic nerve, or carotid artery
	CSF rhinorrhea or conditions where there is a skull base defect
	Benign and malignant sino-nasal neoplasms

3. 수술 전 약물치료

수술 전 환자가 최근까지 복용한 약물 혹은 현재 복용중인 약물을 확인해야 한다. 항고혈압제, 항부정맥제, 항협심증제, 항경련제, 이뇨제, 호르몬 제제들은 수술 전 및 수술 후에도 계속 복용을 해야 하며, 해당 진료과의 자문이 필요하다. 환자가 만약 warfarin, aspirin 등과 같이 항응고제를 복용하는 경우는 수술 시 지혈에 문제가 발생할 수 있으므로 주의가 필요하다. Warfarin의 경우 수술 전 약 7일 정도는 복용을 중단하는 것이 안전하며, clopidogrel 같은 항혈소판제는 수술 14일 전에 중단이 필요하다.

심한 부비동염 염증에서는 수술 중 출혈량이 증가한다. 수술 전 약 5-15일 전에 경구용 스테로이드제를 복용하면 출혈량을 줄일 수 있어 수술 시 시야를 좋게 하고 수술 시간을 줄일 수 있다. 국소 스테로이드 스프레이를 경구용 스테로이드와 함께 사용하는 경우 추가적인 도움이 되는지 여부는 아직 증거가 부족하다. 수술 전 항생제 사용은 수술 중 출혈량을 줄이는 데 도움이 되지 못한다.

4. 성공적 수술 결과의 예측

수술 전 CT 영상검사에서 평가하는 Lund-Mackay 점수는 환자가 느끼는 증상의 정도 (SNOT-22)와 유의한 연관성을 갖고 있다. 수술 전 SNOT-22 점수가 높은 경우에는 수술 후 환자가 느끼는 증상 개선의 정도가 매우 높고, 점수가 낮은 경우에는 수술 후에도 환자는 증상개선을 적게 느끼는 것으로 되어 있다. 따라서 수술 전 평가하는 SNOT-22는 매우 중요한 수술 결과 예측인자이다. 그 외에도 수술 후 예후와 관련된 다양한 인자들이 제시되고 있는데, 최근 여러 연구논문들에 대한 메타 분석을 시행한 결과에 따르면 나이가 많은 환자, 천식이나 이전에 수술의 기왕력이 있는 경우, 수술 전 SNOT-22가 높은 경우 더 좋은 수술 후 결과를 나타냈으며, 흡연을 하고 있거나 장기간 추적관찰을 하고 있는 경우는 증상 개선 효과가 더 적었고, 남녀 간의 차이는 없는 것으로 알려져 있다.

5. 수술 시기의 결정

수술을 시행해야 하는 적절한 시기에 대해서는 현재까지 명확하게 제시된 기준은 없다. 그러나 최근 조사된 바에 의하면 증상 발현에 의해 진단 후 1년 이내에 수술을 했던 환자군에서 1년이 지나서 수술을 늦게 시행받은 환자군에 비해 증상 개선 및 장기 예후가 좋았다는 보고가 있다. 또한 ESS는 천식이 새롭게 발병될 가능성을 감소시키는데, 수술을 조기에 시행한 경우 그 효과가 더 크다고 알려져 있다. 이는 type 2 염증반응을 줄이고 점막의 비가역적 변형을 예방하는 효과 때문일 것으로 예상된다.

6. 내시경 부비동 수술 술기

1] 구상돌기절제술(uncinectomy)

구상돌기절제술은 사골동 절제술 및 중비도 상악동 개방술(middle meatal antrostomy)을 위해 가장 먼저 시행하는 술식으로 수술 시야의 확보와 전두동 수술(frontal sinusotomy)을 위해 전두동와(frontal recess)로의 접근을 위해서 시행한다. 반월상도(sickle knife), Freer elevator 등을 이용하여 구상돌기에 절개를 가한 후 구상돌기(uncinate process)와 이를 덮고 있는 점막을 제거하는 방법이다. 구상돌기 절제 시 반월상도를 다룰 때에는 지판(lamina papyracea)의 손상을 예방하기 위하여 위에서 아래 방향으로 절개하는 것이 안전하다(그림 5-1-1A). 구상돌기의 하부는 수평으로 절개하여 하비갑개와 분리하고, 절개된 구상돌기를 절삭겸자(cutting forceps)로 제거하는 것이 주변 정상 점막의 손상을 예방하기 위해 바람직하다. 구상돌기를 뒤에서 앞쪽으로 역절삭겸자(backbiting forceps)로 절제하는 방법도 있다(그림 5-1-1B). 이때에는 구상돌기의 위쪽 부분을 먼저 절제하고, 구상돌기의 뒤쪽 자유연(free margin)을 확인한 뒤 앞으로 젖히면서 역절삭겸자로 절제하면 된다. 수포성 갑개, 비중격만곡증, 비강 내 폴립, 상악동 발육저하 등이 있는 경우 구상돌기가 외측으로 전이되어 구상돌기 절제술이 어려울 수 있다. 이 경우는 후방 접근법을 이용한 구상돌기 절제가 더 좋다. 미세절삭기(microdebrider)를 이용하면 구상돌기 주변 점막을 깨끗하게 제거하면서 상악동 내 점막 손상을 예방할 수도 있어 도움이 된다. 구상돌기 절제술을 할 때 아래 2/3 부분은 먼저 제거하고 남은 구상돌기 상부는 전두동 개방 시 중요한 지표로 활용될 수 있다(그림 5-1-1C).

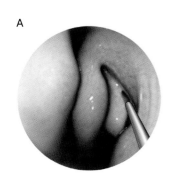 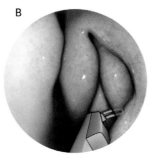 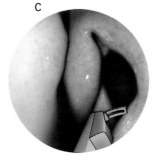

그림 5-1-1. **구상돌기 절제술**

2) 중비도 상악동 개방술(middle meatal antrostomy)

중비도 상악동 개방술은 상악동의 자연공을 넓게 열어서 상악동 내의 병변을 제거하거나 상악동의 환기와 배액을 원활하게 하기 위함이다. 구상돌기 절제술 후 주변을 덮고 있는 점막을 제거하게 되면 자연스럽게 중비도 상악동 개방술이 시행된다. 상악동 자연공은 구상돌기를 절제하지 않으면 잘 보이지 않으며, 구상돌기 자체를 기준으로 했을 때 자연공은 후천문(posterior fontanelle)의 가장 앞쪽에 위치한다. 이 천문(fontanelle)은 삼각형, 연필형, 계란형으로 구분할 수 있으며, 일반적으로는 앞쪽이 좁고 뒤쪽이 넓은 형태를 가지고 있고, 특히 뒤쪽은 조직학적으로도 두께가 얇아 넓히는 것이 용이하다. 하비갑개 상단에 부착된 구상돌기의 후하방 부위가 완전히 제거되지 않으면 자연공 관찰이 어렵다. 만약 구상돌기가 관찰이 어려운 경우는 미세절삭기를 이용하여 하비갑개 상단의 구상돌기 부착 부위의 점막을 제거해 주면 좀 더 용이하게 남은 구상돌기를 제거할 수 있다. 자연공 주변의 점막이 비후되어 있거나 비강 내 폴립이 있는 경우는 하비갑개의 중간 부위 바로 윗부분을 굴곡흡인단자(curved suction tip)이나 J형 큐렛(J curette) 등으로 조심스럽게 탐지하여 공기 방울이나 분비물이 나오는지 관찰하면서 상악동 자연공을 찾을 수 있다. 이후 두꺼운 점막으로 형성된 천문을 내측으로 밀어 자연공을 확대시키고, 절단겸자 등을 이용하여 후천문 점막을 제거하면서 자연공을 넓혀 나간다. 자연공 후방부위를 넓힐 때에는 구개골 수직판(perpendicular plate of palatine bone)을 일부 제거하게 되는데, 약 38%에서는 후외측비동맥(posterior lateral nasal artery)가 상악동 후벽보다 앞으로 주행하므로 이 부위를 제거할 때 출혈이 발생할 수 있다(그림 5-1-2). 후외측비동맥의 하비갑개 분지에서 전상방으로 올라오는 후천문 분지가 손상을 받아 박동성 출혈이 생기기도 하는데 이때에는 전기소작으로 지혈을 해주어야 한다. 천문을 넓힐 때 부공(accessory ostium)이 남아있거나 수술 후 반흔조직에 의하여 구멍이 생긴 경우는 상악동 내 점액의 재순환 현상이 발생할 수 있으므로, 자연공과 부공 사이의 점막을 완전히 제거하여 하나의 구멍으로 연결을 시키는 것이 중요하다. 상악동을 크게 개방하는 경우 개방창이 유지될 확률은 약 71-85% 정도로 보고되었다. 개방창 크기 자체가 예후에 직접적으로 영향을 주지는 않지만 부공이 별도로 존재하거나 주변 사골동 연결 부위에 반흔조직이 형성되면 예후가 좋지 않다.

자연공 전방으로 역절단겸자 등을 이용하여 구멍을 확장시킨다. 이때에는 상부 외측에 있는 안와 하부벽 손상에 주의해야 하고, 전방에 존재하는 누골(lacrimal bone)이 손상되지 않도록 지나친 힘을 주지 않는 것이 중요하다. 상악동 점막의 부종이 심하고, 다발성 비용종, 진균구 등이 있는 경우는 수술 후 상악동 자연공의 재협착을 방지하기 위해 직경 10-20 mm 이상으로 크게 열어주는 것이 재발을 예방하는 데 도움이 된다. 수술의 마지막에는 항상 30도 혹은 70도 내시경을 이용하여 상악동 내의 전 부분을 관찰하여 잔존 병소가 있는지를 확인해야 한다. 그리고 수술 전 CT영상에서 상악동 자연공 후상부에 존재하는 infraorbital ethmoid cell (Haller cell)이 확인되었다면 이것을 반드시 제거하여 개방창과 함께 열어주어야 한다.

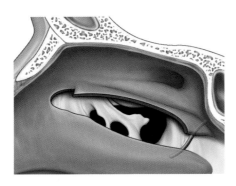

그림 5-1-2. 중비도 상악동 개방술 시 주의해야할 후외측비동맥

3) 사골동 절제술(ethmoidectomy)

사골동 절제술을 시행하기 위해서는 먼저 구상돌기 절제술을 시행해야 한다. 사골동 절제술은 사골포(bulla ethmoidalis)의 제거부터 시작된다. 사골포는 전사골동(anterior ethmoid sinus)의 가장 앞에 돌출된 봉소이다. 사골포의 내하방에서부터 제거를 시작한다. 큐렛 또는 겸자를 이용하여 사골포의 전벽을 쉽게 열수 있으며, 절삭겸자를 이용하여 범위를 넓혀가면서 점막을 같이 절제한다. 이때 외측에 존재하는 지판의 손상에 주의하면서 전사골동을 충분히 넓혀야 한다. 사골포를 제거하고 나면 중비갑개(middle turbinate)의 기저판(basal lamella)을 확인할 수 있다. 해부학적 변이가 존재하거나 병적인 변화로 인하여 중비갑개의 기저판 확인이 어렵거나 모양이 변형되어 있는 경우가 있다. 기저판 내측으로는 중비갑개, 외측으로는 지판과 연결이 된다. 후사골동 절제술로 진행하기 위해서는 중비갑개 기저판을 제

거해야 하는데, 이때에는 내측 하방부위부터 접근을 시작하는 것이 안전하다. 가장 좋은 위치는 중비갑개의 기저판이 수직으로 올라오는 부위에서 3-4 mm 윗부분이다. 큐렛 혹은 흡인기 등을 이용하여 기저판 내 하방을 탐침하여 확인한다. 이후에는 절삭겸자를 이용하여 범위를 넓혀 기저판을 제거한다. 이때 기저판의 수평 부분은 보존하여 중비갑개의 안정성을 유지시켜 주는 것이 좋다.

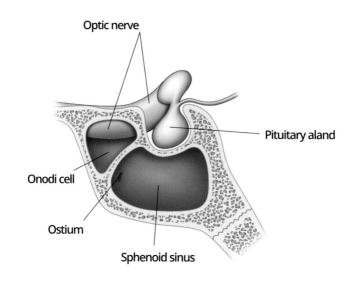

그림 5-1-3. 접형사골봉소

후사골동을 제거할 때 가장 주의할 점은 접형사골봉소(spheno-ethmoidal cell, Onodi cell)가 발달되어 시신경관이 후사골동의 바깥 상부 부위에 돌출되어 지나갈 수 있으므로 수술 전 CT를 세밀하게 살펴보고, 수술 중에도 주의가 필요하다(그림 5-1-3). 비용종이 넓게 분포하고 염증이 오래 지속된 경우는 중비갑개가 매우 얇아져 있고 불안정한 경우가 자주 발견된다. 이 경우는 중비갑개를 제거하는 것이 재발을 줄이고 수술 후 관리를 위해 더 유리하다. 비용종이 광범위하고 천식이 있는 경우 중비갑개, 상비갑개를 절제하는 광범위한(extended) 수술을 시행했을 때 예후가 더 좋았다는 보고가 있다.

4) 접형동 수술(sphenoid sinusotomy)

접형동은 구개 내에서 가장 안쪽에 위치한 부비동으로 한국인에서는 코문턱(limen nasi)에서 접형동까지는 약 56.5 mm였고 구개골 수평선을 기준으로 약 35.9° 각도에 위치하였다.

접형동 주변에는 여러 중요한 신경 및 혈관들이 주행하고 있는데, 접형동의 함기화 정도에 따라 주변 구조물들의 위치에 영향을 미칠 수 있어 수술 전 CT를 꼼꼼히 확인하는 것이 중요하다. 후사골봉소(posterior ethmoidal cell)가 접형동 내부로 함기화되는 접형사골봉소는 접형동 수술 시 확인이 꼭 필요한 구조물이다. 약 56%에서는 접형사골봉소 내로 시신경관이 돌출되어 있으므로, 수술 시 손상에 주의하여야 한다. 접형동 자연공은 내시경으로 관찰할 때 상비갑개(superior turbinate)를 기준으로 약 83%에서는 상비갑개 내측에서 상비갑개 하방으로부터 약 1 cm 상방에서 발견된다.

접형동 수술의 접근법은 크게 경비강 접근법과 경사골동 접근법으로 구분할 수 있다(그림 5-1-4A). 경비강 접근법은 중비갑개와 비중격 사이로 접근하는 방법으로 구상돌기 절제술 및 사골동 절제술 없이 바로 접형동 접근이 가능한 수술방법이다. 비중격만곡증이 있는 경우는 미리 비중격교정술을 시행해야 하거나 경사골동 접근법이 더 용이할 수 있다. 경사골동 접근법은 후사골동 절제술을 시행하면서 더 진행하여 접형동을 노출시키는 방법이다. 후사골동을 제거하고 나면 접형동 전벽이 노출이 되는데 큐렛, 흡인기 등을 이용하여 접형동 전벽의 내측 하방 부위부터 개방을 시도하는 것이 안전하다. 접형동 안쪽 공간이 확인되면 이를 중심으로 접형동 전벽을 주변으로 넓혀 자연공까지 연결시켜 확장한다. 만약 접형동 자연공을 찾기가 어려우면 먼저 상비갑개 하방을 절삭겸자로 일부 제거하면 쉽게 자연공을 찾을 수 있다(그림 5-1-4B). 접형동 자연공을 넓힐 때에는 sphenoid punch (Kerrison punch) 혹은 mushroom circular cutting forceps를 이용한다. 접형동 자연공 아래 부분을 넓힐 때에는 뼈가 다소 두꺼우므로 sphenoid punch를 사용하는 용이하며 이때 접형구개동맥의 비중격분지가 지나가므로 출혈이 발생할 수 있는데, 흡인전기소작기를 이용하면 쉽게 지혈할 수 있다. 접형동 내에 다양한 형태의 중격(septum) 혹은 덧중격(accessory septum)이 존재할 수 있는데, 간혹 내경동맥관과 연결되어 있을 수 있으므로 수술 전에 CT로 반드시 확인을 해야 한다.

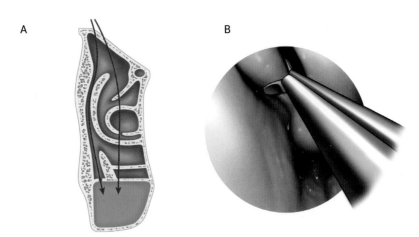

그림 5-1-4. 접형동 수술 시 접근법. A. 경비강 접근법과 경사골동 접근법.
B. 접형동 자연공을 노출하기 위하여 상비갑개 하단 부위를 절제하는 모습

5) 전두동 수술(frontal sinusotomy)

전두동은 해부학적으로 접근이 까다롭고 변이가 심해 수술 시 주의가 필요하다. 특히 이전 수술 병력이 있거나 염증이 오래 지속되어 신생골 형성, 협착이 심한 경우는 수술이 더 까다로울 수 있다. 수술 전 CT 영상을 통해 전두동의 함기화(pneumatization) 정도, 전두동에서 배출되는 경로, 전두와(frontal recess) 주변 신생골 형성 유무 및 봉소 등을 확인해야 한다. 또한 전사골동맥, 사상판의 외측기판(lateral lamella of cribriform plate), 전방 두개저 각도 및 골결손 유무 등은 수술 시 합병증 예방을 위해 미리 살펴보아야 한다. 전두동 수술을 시행할 때에는 먼저 사골동 수술을 완전히 진행하여 사골동 천정과 지판을 명확히 확인한 후에 진행하는 것이 필요하다.

전두동 개구부 앞쪽으로는 비제봉소가 존재할 수 있는데, 이는 구상돌기의 상외측 부착부위에 함기화로 생긴 봉소를 지칭하며, 약 93%의 환자에서 발견된다는 보고가 있다. 전두동 수술이 실패하는 원인 중에는 비제봉소의 불완전 제거도 중요한 요소 중 하나이다. 전두와봉소(frontal recess cell)는 그 위치와 개수에 따라 type 1, 2, 3, 4로 분류된다. 최근에는 항법장치(navigation system) 사용이 보편화되어 위치를 확인하여 안전하고 완전한 제거가 용이해졌다. 그러나, 수술 중 작동 오류 혹은 오차가 발생할 수 있으므로, 기본적인 해부학적 구조를 이해하고 수술에 임하는 것이 반드시 필요하다.

전두동 개구부를 이해하기 위해서는 한국인에서는 비전두관(nasofrontal duct)개념이 더 적합한 표현이다. 두개골을 시상면으로 절단하여 관찰해보면, 전두동에서 사골동으로 이행되는 모양이 깔때기를 엎어 놓은 듯한 모양의 공간이 존재한다. 비전두관의 구조를 이해하기 위해서는 갑개판(conchal plate)와 상누두판(suprainfundibular plate)에 대한 이해가 필요하다. 갑개판은 중비갑개, 상비갑개, 최상비갑개가 위에서 합쳐져서 하나의 판을 이루는 구조물을 지칭한다. 이는 비중격과 평행하게 위로 올라가 두개저에 연결된다. 상누두판은 구상돌기 윗부분과 사골포 윗부분이 만나 하나의 판을 이루는 구조물을 지칭한다(그림 5-1-5 붉은색 구조물). 상누두판은 갑개판의 외측에서 평행하게 위로 올라가는데, 이의 부착 위치에 따라 비전두관이 비강으로 열리는 위치가 결정된다. 한국인의 머리뼈를 이용한 연구에서는 약 60% 정도는 상누두판이 지판에 부착되어 비전두관이 상누두판과 갑개판 사이로 열리고(그림 5-1-5 좌측), 약 40% 정도는 상누두판이 두개저 혹은 중비갑개로 부착되어 비전두관이 상누두판과 지판 사이로 열린다(그림 5-1-5 우측). 따라서, 구상돌기를 절제할 때 위쪽 부분에 해당되는 상누두판을 남겨 두고 수술을 진행하면 전두동 배출 부위를 찾는 데 중요한 지표로 활용할 수 있다. 비전두관을 넓힐 때 좌우 방향은 내측에 위치한 사상판 외측기판(lateral lamella of cribriform plate)이 있어서 손상 시 뇌척수액 유출이 발생할 수 있으므로 주의가 필요하다. 따라서 기구 조작은 후방에서 전방으로, 내측에서 외측으로 해야 하며, 기구 끝에 저항이 느껴질 경우 무리한 압력을 주어서는 안된다.

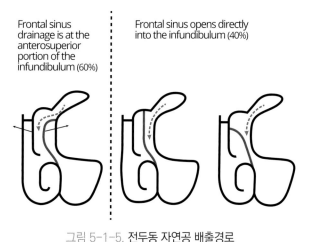

그림 5-1-5. 전두동 자연공 배출경로

전두동 병변의 범위 및 병리학적 소견에 따라 수술 범위가 넓어질 수 있으며, 일반적으로 Draf에 의한 분류가 사용되고 있다. Draf type I은 가장 간단하게 전두동을 여는 방법으로 비전두관 하방 존재하는 사골봉소 일부만 제거하고 비제봉소, 상누두봉소는 보존하며 배액만을 목적으로 하는 방법이다. Draf type IIa는 내시경 부비동 수술에서 가장 일반적으로 시행되는 술식으로 지판과 중비갑개 기저판 사이의 모든 사골봉소를 제거하여 여는 방법이다. Draf type IIb는 중비갑개가 두개저에 부착되어 있는 앞쪽 일부를 제거하고 지판과 비중격 사이의 전두동 바닥을 모두 제거하여 병변측의 전두동을 넓게 노출시키는 방법이다. Draf type III는 Draf type IIb를 양측 모두 시행하고 전두동 사이의 중격 및 연결되는 비중격 상부도 제거하여 양측의 전두동 바닥을 모두 제거 후 넓게 노출시키는 방법으로 endoscopic modified Lothrop procedure (EMLP)라고도 부른다. 재수술인 경우, 원발성 섬모운동이상증, 반전성 유두종 등에서는 수술 부위 재협착을 예방하고 재발을 줄이기 위해 Draf type IIb 혹은 III 술식을 고려해야 한다.

7. 부비동 수술의 범위

부비동염 수술 시 병변의 범위에 상관없이 모든 부비동을 개방하는 것이 좋은지 혹은 병변이 존재하는 부비동만 개방해도 되는지 대하여 아직은 논란이 있다. 일반적으로 광범위하게 모든 부비동을 수술하는 경우는 동반 천식이 있거나 아스피린 악화성 호흡기 질환 혹은 재수술인 경우가 많아 정확한 비교 혹은 무작위 대조군 연구가 어려운 제한점이 있다. 최근에는 type 2 염증과 관련된 CRSwNP에서 부비동의 점막을 최대한 제거하고 난 후 건강한 점막이 부비동으로 자라서 들어가 덮이는 것을 기대하는 리부트(reboot) 수술법이 제시되었다(그림 5-1-6). 기본적 개념은 type 2 사이토카인을 분비하는 병적 점막을 제거하고, 함께 병태생리로 작용하는 마이크로바이옴, 세균 등을 함께 제거하여 수술 후 점막 재생이 상대적으로 건강한 점막을 유지하고 있는 하비갑개 혹은 중비갑개 혹은 비중격으로부터 인접한 부비동으로 자라 들어가 덮히도록 하는 것이다. Type 2 CRSwNP 환자에서 이 술식을 적용하였을 경우 점막을 최대한 보존하는 술식에 비하여 수술 후 30개월째에 더 유의하게 비용종의 재발을 줄일 수 있었다고 보고하였다. 그러나 아직까지 이 수술방법에 대하여 장기적 추적관찰이 필요하며, 현재까지는 type 2 염증이 동반된 경우에서만 연구가 되어서 추가적 연구가 필요한 실정이다.

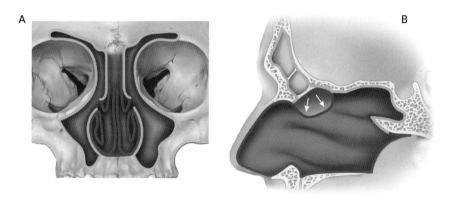

그림 5-1-6. 제2형 염증 비용종 수술을 위한 Reboot 수술법 모식도(녹색선: 제거되는 점막 범위, 붉은선: 보존 되어야 하는 점막 범위, 화살표: Draf type III 수술 시 제거되는 비중격 범위)

References

- Abuzeid WM, Vakil M, Lin J, Fastenberg J, Akbar NA, Fried MP, *et al.* Endoscopic modified Lothrop procedure after failure of primary endoscopic sinus surgery: a meta-analysis. Int Forum Allergy Rhinol 2018;8(5):605-13.

- Ahn SH, Lee EJ, Kim JW, Baek KH, Cho HJ, Yoon JH, *et al.* Better surgical outcome by image-guided navigation system in endoscopic removal of sinonasal inverted papilloma. J Craniomaxillofac Surg 2018;46(6):937-41.

- Albu S, Gocea A, Mitre I. Preoperative treatment with topical corticoids and bleeding during primary endoscopic sinus surgery. Otolaryngol Head Neck Surg 2010;143(4):573-8.

- Albu S, Tomescu E. Small and large middle meatus antrostomies in the treatment of chronic maxillary sinusitis. Otolaryngol Head Neck Surg 2004;131(4):542-7.

- Alsharif S, Jonstam K, van Zele T, Gevaert P, Holtappels G, Bachert C. Endoscopic Sinus Surgery for Type-2 CRS wNP: An Endotype-Based Retrospective Study. Laryngoscope 2019;129(6):1286-92.

- Anderson P, Sindwani R. Safety and efficacy of the endoscopic modified Lothrop procedure: a systematic review and meta-analysis. Laryngoscope 2009;119(9):1828-33.

- Bachert C, Zhang N, Hellings PW, Bousquet J. Endotype-driven care pathways in patients with chronic rhinosinusitis. J Allergy Clin Immunol 2018;141(5):1543-51.

- Bagatella F, Guirado CR. The ethmoid labyrinth. An anatomical and radiological study. Acta Otolaryngol Suppl 1983;403:3-19.

- Benninger MS, Sindwani R, Holy CE, Hopkins C. Impact of medically recalcitrant chronic rhinosinusitis on incidence of asthma. Int Forum Allergy Rhinol 2016;6(2):124-9.

- Bolger WE, Butzin CA, Parsons DS. Paranasal sinus bony anatomic variations and mucosal abnormalities: CT analysis for endoscopic sinus surgery. Laryngoscope 1991;101(1 Pt 1):56-64.

- Broadman LM. Non-steroidal anti-inflammatory drugs, antiplatelet medications and spinal axis anesthesia. Best Pract Res Clin Anaesthesiol 2005;19(1):47-58.

- Brooks SG, Trope M, Blasetti M, Doghramji L, Parasher A, Glicksman JT, *et al.* Preoperative Lund-Mackay computed tomography score is associated with preoperative symptom severity and predicts quality-of-life outcome trajectories after sinus surgery. Int Forum

- Chen FH, Deng J, Hong HY, Xu R, Guo JB, Hou WJ, *et al*. Extensive versus functional endoscopic sinus surgery for chronic rhinosinusitis with nasal polyps and asthma: A 1-year study. Am J Rhinol Allergy 2016;30(2):143-8.

- Chen PG, Wormald PJ, Payne SC, Gross WE, Gross CW. A golden experience: Fifty years of experience managing the frontal sinus. Laryngoscope 2016;126(4):802-7.

- Chmielik LP, Chmielik A. The prevalence of the Onodi cell - Most suitable method of CT evaluation in its detection. Int J Pediatr Otorhinolaryngol 2017;97:202-5.

- Cho JH, Kim JK, Lee JG, Yoon JH. Sphenoid sinus pneumatization and its relation to bulging of surrounding neurovascular structures. Ann Otol Rhinol Laryngol 2010;119(9):646-50.

- Cornelius RS, Martin J, Wippold FJ, 2nd, Aiken AH, Angtuaco EJ, Berger KL, *et al*. ACR appropriateness criteria sinonasal disease. J Am Coll Radiol 2013;10(4):241-6.

- Dautremont JF, Rudmik L. When are we operating for chronic rhinosinusitis? A systematic review of maximal medical therapy protocols prior to endoscopic sinus surgery. Int Forum Allergy Rhinol 2015;5(12):1095-103.

- Davis WE, Templer JW, Lamear WR, Davis WE, Jr., Craig SB. Middle meatus anstrostomy: patency rates and risk factors. Otolaryngol Head Neck Surg 1991;104(4):467-72.

- DeConde AS, Smith TL. Outcomes After Frontal Sinus Surgery: An Evidence-Based Review. Otolaryngol Clin North Am 2016;49(4):1019-33.

- DeConde AS, Suh JD, Mace JC, Alt JA, Smith TL. Outcomes of complete vs targeted approaches to endoscopic sinus surgery. Int Forum Allergy Rhinol 2015;5(8):691-700.

- Ecevit MC, Erdag TK, Dogan E, Sutay S. Effect of steroids for nasal polyposis surgery: A placebo-controlled, randomized, double-blind study. Laryngoscope 2015;125(9):2041-5.

- Eloy JA, Marchiano E, Vazquez A. Extended Endoscopic and Open Sinus Surgery for Refractory Chronic Rhinosinusitis. Otolaryngol Clin North Am 2017;50(1):165-82.

- Error M, Ashby S, Orlandi RR, Alt JA. Single-Blinded Prospective Implementation of a Preoperative Imaging Checklist for Endoscopic Sinus Surgery. Otolaryngol Head Neck Surg 2018;158(1):177-80.

- Fokkens WJ, Lund VJ, Hopkins C, Hellings PW, Kern R, Reitsma S, *et al*. Executive summary of EPOS 2020 including integrated care pathways. Rhinology 2020;58(2):82-111.

- Fried MP, Moharir VM, Shin J, Taylor-Becker M, Morrison P. Comparison of endoscopic sinus surgery with and without image guidance. Am J Rhinol 2002;16(4):193-7.

- Grzegorzek T, Kolebacz B, Stryjewska-Makuch G, Kasperska-Zajac A, Misiolek M. The influence of selected preoperative factors on the course of endoscopic surgery in patients with chronic rhinosinusitis. Adv Clin Exp Med 2014;23(1):69-78.

- Gunel C, Basak HS, Bleier BS. Oral steroids and intraoperative bleeding during endoscopic sinus surgery. B-ENT 2015;11(2):123-8.

- Hajbeygi M, Nadjafi A, Amali A, Saedi B, Sadrehosseini SM. Frontal Sinus Patency after Extended Frontal Sinusotomy Type III. Iran J Otorhinolaryngol 2016;28(88):337-43.

- Hopkins C, Browne JP, Slack R, Lund V, Topham J, Reeves B, et al. The national comparative audit of surgery for nasal polyposis and chronic rhinosinusitis. Clin Otolaryngol 2006;31(5):390-8.

- Hopkins C, Rimmer J, Lund VJ. Does time to endoscopic sinus surgery impact outcomes in Chronic Rhinosinusitis? Prospective findings from the National Comparative Audit of Surgery for Nasal Polyposis and Chronic Rhinosinusitis. Rhinology 2015;53(1):10-7.

- Javer AR, Genoway KA. Patient quality of life improvements with and without computer assistance in sinus surgery: outcomes study. J Otolaryngol 2006;35(6):373-9.

- Kim HU, Kim SS, Kang SS, Chung IH, Lee JG, Yoon JH. Surgical anatomy of the natural ostium of the sphenoid sinus. Laryngoscope 2001;111(9):1599-602.

- Kim KS, Kim HU, Chung IH, Lee JG, Park IY, Yoon JH. Surgical anatomy of the nasofrontal duct: anatomical and computed tomographic analysis. Laryngoscope 2001;111(4 Pt 1):603-8.

- Korban ZR, Casiano RR. Standard Endoscopic Approaches in Frontal Sinus Surgery: Technical Pearls and Approach Selection. Otolaryngol Clin North Am 2016;49(4):989-1006.

- Le PT, Soler ZM, Jones R, Mattos JL, Nguyen SA, Schlosser RJ. Systematic Review and Meta-analysis of SNOT-22 Outcomes after Surgery for Chronic Rhinosinusitis with Nasal Polyposis. Otolaryngol Head Neck Surg 2018;159(3):414-23.

- Lee HY, Kim HU, Kim SS, Son EJ, Kim JW, Cho NH, et al. Surgical anatomy of the sphenopalatine artery in lateral nasal wall. Laryngoscope 2002;112(10):1813-8.

- Neel HB, Harner SG, Rice DH. Endoscopic Sinus Surgery. Otolaryngology–Head and Neck Surgery 1994;111(1):100-10.

- Orlandi RR, Kingdom TT, Hwang PH. International Consensus Statement on Allergy and Rhinology: Rhinosinusitis Executive Summary. Int Forum Allergy Rhinol 2016;6 Suppl 1:S3-21.

- Ozdemir A, Bayar Muluk N, Asal N, Sahan MH, Inal M. Is there a relationship between Onodi cell and optic canal? Eur Arch Otorhinolaryngol 2019;276(4):1057-64.

- Richtsmeier WJ. Top 10 reasons for endoscopic maxillary sinus surgery failure. Laryngoscope 2001;111(11 Pt 1):1952-6.

- Rudmik L, Soler ZM, Hopkins C, Schlosser RJ, Peters A, White AA, et al. Defining appropriateness criteria for endoscopic sinus surgery during management of uncomplicated adult chronic rhinosinusitis: a RAND/UCLA appropriateness study. Int Forum Allergy Rhinol 2016;6(6):557-67.

- Rudmik L, Soler ZM, Mace JC, DeConde AS, Schlosser RJ, Smith TL. Using preoperative SNOT-22 score to inform patient decision for Endoscopic sinus surgery. Laryngoscope 2015;125(7):1517-22.

- Sabino HA, Valera FC, Aragon DC, Fantucci MZ, Titoneli CC, Martinez R, et al. Amoxicillin-clavulanate for patients with acute exacerbation of chronic rhinosinusitis: a prospective, double-blinded, placebo-controlled trial. Int Forum Allergy Rhinol 2017;7(2):135-42.

- Sahlstrand-Johnson P, Hopkins C, Ohlsson B, Ahlner-Elmqvist M. The effect of endoscopic sinus surgery on quality of life and absenteeism in patients with chronic rhinosinuitis - a multi-centre study. Rhinology 2017;55(3):251-61.

- Soler ZM, Rudmik L, Hwang PH, Mace JC, Schlosser RJ, Smith TL. Patient-centered decision making in the treatment of chronic rhinosinusitis. Laryngoscope 2013;123(10):2341-6.

- Surg AAoO-HaN. Position Statement: Intra-Operative Use of Computer Aided Surg. 2014:https://www.entnet.org/content/intra-operative-usecomputer-aided-surgery.

- Tabaee A, Hsu AK, Shrime MG, Rickert S, Close LG. Quality of life and complications following image-guided endoscopic sinus surgery. Otolaryngol Head Neck Surg 2006;135(1):76-80.

- Valdes CJ, Bogado M, Samaha M. Causes of failure in endoscopic frontal sinus surgery in chronic rhinosinusitis patients. Int Forum Allergy Rhinol 2014;4(6):502-6.

- Wadwongtham W, Aeumjaturapat S. Large middle meatal antrostomy vs undisturbed maxillary ostium in the endoscopic sinus surgery of nasal polyposis. J Med Assoc Thai 2003;86 Suppl 2:S373-8.

- Weber R, Draf W, Kratzsch B, Hosemann W, Schaefer SD. Modern concepts of frontal sinus surgery. Laryngoscope 2001;111(1):137-46.

- Wormald PJ, Chan SZ. Surgical techniques for the removal of frontal recess cells obstructing the frontal ostium. Am J Rhinol 2003;17(4):221-6.

- Yoon JH, Kim KS, Jung DH, Kim SS, Koh KS, Oh CS, *et al.* Fontanelle and uncinate process in the lateral wall of the human nasal cavity. Laryngoscope 2000;110(2 Pt 1):281-5.

- Yoon JH, Kim SS, Kim KS, Lee JG. Creation of large maxillary sinus ostium: a modified antrostomy technique removing palatine bone for improved patency. Laryngoscope 1999;109(4):672-5.

만성 비부비동염의 수술 치료
5-2. 재수술

김정수, 허성재

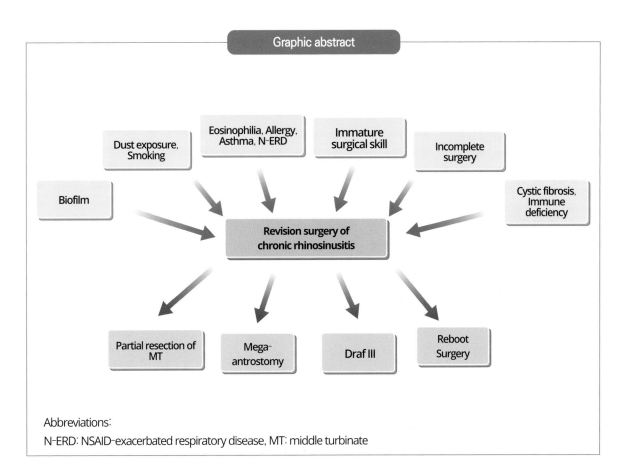

1. 재수술의 원인

1) 생물막(Biofilm)

비용종을 동반하지 않은 만성 비부비동염(chronic rhinosinusitis without nasal pol-yp, CRSsNP) 환자 중 비강에서 농이 관찰되는 경우에는 *Pseudomonas aeruginosa* 또는 *Staphylococcus aureus*의 생물막과 연관이 있을 수 있다.

2) 조직 호산구증가증(eosinophilia) 또는 천식

대부분 만성 비부비동염(chronic rhinosinusitis, CRS) 환자에서 수술 6개월 후 증상 호전이 있었지만, 조직 호산구증가증이 있거나 천식이 있는 환자에서는 수술 후에도 여전히 높은 Sino-Nasal Outcome Test-22 (SNOT-22) 점수를 보였다.

3) 불완전한 수술

중비갑개의 외측화(lateralization), 중비도에 유착, 반흔 형성, 구상돌기의 불완전한 절제, 사골동의 불완전한 개방 등이 재수술에서 흔히 관찰된다(그림 5-2-1).

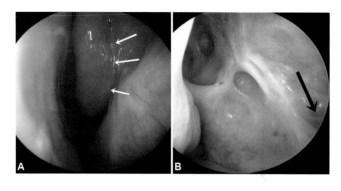

그림 5-2-1. 재수술의 원인이 되는 중비갑개의 외측화 및 유착(A, 흰색 화살표)과 상악동 개구부의 폐쇄(B, 검정 화살표).

4) 술자의 숙련도

특히 전두동은 가장 접근하기 어려운 부비동으로 재수술 빈도도 부비동 중 가장 높다(그림 5-2-2). 또한, 술자의 숙련도가 부족하면 재수술 확률이 높았다. 그 외 비용종의 존재, 반복적인 스테로이드 사용, 알레르기, 여성, 비부비동염의 가족력, 고령, 먼지 노출, 흡연, 아스피린 악화성 호흡기 질환, 낭포성 섬유증(cystic fibrosis), 면역결핍, 육아종증 다발혈관염(granulomatosis with polypangiitis)은 재수술 확률을 높이고, 반면에 비중격수술을 같이 한 경우에는 재수술 빈도를 낮추었다.

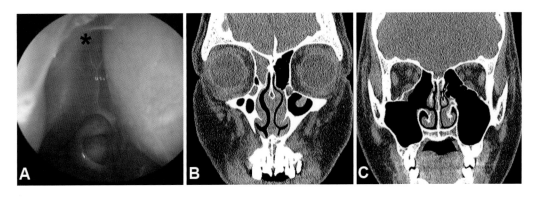

그림 5-2-2. 내시경과 CT에서 전두동 개구부의 폐쇄가 관찰되며(A, B),
다른 부비동은 잘 개방되어 있다(C).

표현형적 요소로, 비용종을 동반한 만성 비부비동염(chronic rhinosinusitis with nasal polyp, CRSwNP)이 CRSsNP보다 재수술 빈도가 높았고 특히 천식이 동반된 CRSwNP에서는 높은 재수술률을 보였다. 최근에는 내재형을 바탕으로 한 연구가 활발히 이루어지고 있고, type 2 염증과 관련된 인자의 수치가 높은 경우 재발률이 높았다.

2. 재수술의 목표

1) 수술적 관점

CRSsNP 및 CRSwNP 모두 재수술의 목표는 국소 치료가 도달할 수 있는 공간(common cavity)을 만드는 것이다. 이를 위해서 막힌 통로를 열기도 하고, 남아 있는 봉소(air cell), 신생골 형성, 반흔 등을 제거한다. CRSwNP에서 중비갑개 일부 제거가 부작용 없이 결과에 도움이 되기도 한다. 문제가 있는 부분만 수술하는 것(targeted surgery)보다 좀 더 완전한 수술(complete surgery)을 하는 것이 더 좋은 결과를 보였다.

2) 환자 관점

CRS로 인해서 겪고 있는 증상 및 약물 사용량을 줄이며, 궁극적으로 삶의 질을 높이는 것이 환자 관점에서 재수술의 목표다. 치료 결과 평가는 환자가 보고한 결과 측정(PROM, patient-reported outcome measures)이 가장 중요한데, 이를 평가하기 위한 방법으로는 RSDI (Rhinosinusitis Disability Index), SNOT-20 또는 SNOT-22, CSS (Chronic Sinusitis Survey), ADSS (Adelaide Disease Severity Score), PRS (Patient Response Score), RSI (Rhinosinusitis Symptom Inventory), RSOM (Rhinosinusitis Outcome Measure) 등이 있다. 이 중 SNOT-22가 가장 흔히 사용된다.

CRSwNP 환자는 재발을 줄이거나 재발까지의 기간을 최대한 늘이는 것이 치료 목표가 된다.

3. 재수술의 시점

일반적으로 약물치료가 실패할 때 재수술을 시행한다. 수술 후 보존적 치료인 항생제, 국소 또는 구강 스테로이드, 비강 세척 등을 최소한 2달 이상 치료 후에 환자의 증상과 컴퓨터 단층촬영(computed tomography, CT), 내시경 소견을 종합적으로 고려해야 한다. 환자가 약물 치료 등의 보존적 치료를 충분히 잘 시행했는지 확인하는 것 또한 중요하다.

CRSwNP에서 증상을 유발하는 비용종이 있는 경우 재수술을 결정하기 쉽지만, 명백한 비강 폐색이 없는 CRSsNP의 경우 재수술을 결정하기 어렵다. CRSsNP에서 환기 및 배액의 문제, 점액류 발생, 남아있는 봉소가 있는 경우가 아니면 적절한 수술 시점을 정하는 것이 어렵다고 알려져 있고 이에 관한 연구가 부족하다.

어떤 표현형이든 재수술 시점이 늦어지는 것이 수술 후 부정적 결과에 영향을 주지는 않는 것으로 알려져 있어서, 급하게 재수술을 결정할 필요는 없다.

4. 재수술 전 평가

내시경과 CT 검사로 염증의 정도와 위치를 파악하고 재수술 계획을 정한다. 특히, 다음과 같은 특징들을 CT에서 유의해서 확인해야 한다.

1) 부비동 해부 구조와 수술 후 소견들

- 전두와의 앞뒤 거리, 부비동의 전체적인 크기(함기화 정도)
- 국소 치료의 접근 또는 배액을 막는 남아 있는 봉소
- 중비갑개의 외측화
- 구상돌기의 잔존

– 이전에 열었던 부비동의 유착이나 협착

전두동은 부비동 내시경 수술(endoscopic sinus surgery, ESS)에서 가장 어려운 부위다. 비제봉소가 남거나 전두와의 신생골형성, 중비갑개의 외측 반흔, 잔존하는 전사골봉소 및 전두봉소들이 전두동염 재발에서 흔히 관찰된다.

2) 배액은 양호하지만 남아있거나 재발한 점막 질환

배액 및 환기 문제와 무관한 점막 병변은 염증이나 감염이 계속되기 때문일 가능성이 높다.

3) 신생골 형성

신생골 형성은 질병의 심한 정도 및 나쁜 예후와 연관되어 있어서, 수술 전 CT 검사에서 반드시 확인해야 한다. 최근 연구에서 *P. aeruginosa*가 연관이 있고, *S. aureus*는 연관이 없는 것으로 알려졌다. 이전 수술 횟수와 Lund-Mackay 점수는 신생골 형성의 정도와 연관이 있는 것으로 알려졌다.

5. 재수술의 범위와 결과

아직까지는 재수술의 범위에 대한 높은 수준의 근거는 부족하다. 하지만, CRSwNP와 CRSsNP 두 가지 표현형 모두에서 수술 범위와 관계없이 재수술 후 코막힘, 콧물, 후비루, 안면통, 후각저하, 두통 등의 증상 호전을 보여, 재수술은 환자에게 도움이 되는 것으로 알려졌다.

1) 상악동절개술

CRSsNP 환자에서 상악동 개구부를 크게 또는 작게 여는 것에 따른 결과 차이가 없다는 연구도 있지만, 약물치료와 수술에도 불구하고 지속되는 난치성 상악동염에서는 mega-antrostomy가 도움이 된다는 결과들이 보고되고 있다.

2) 중비갑개

중비갑개 절제에 대해서는 여전히 논란이 있지만, 최근 연구에서 중비갑개를 부분 또는 모두 제거했을 때 국소 약물 투여가 잘 된다고 알려졌다. 따라서 병변이 넓게 있거나 혼합성 (mixed) CRS인 경우 첫 수술 때 중비갑개를 제거하는 것이 재수술을 늦출 수 있는 한 방법이나, 중비갑개는 비강 내 기류의 흐름에 관여하여 제거 시에 비중격 점막의 비후 등을 초래할 수 있으므로 신중히 판단하여야 한다. 또한, 최근에 시행되고 있는 리부트 수술(reboot surgery) 개념으로 수술할 경우, 재상피화할 수 있는 상피를 남겨야 하기 때문에 중비갑개를 모두 제거해서는 안된다.

3) 전두동

CRSwNP에서 수술 후 비용종이나 염증으로 인해서 전두동 배액로가 막히는 경우, 먼저 이전 수술이 잘 되었는지 확인하고, 그렇지 않은 경우 Draf IIa 혹은 IIb 재수술을 시행할 수 있다. 만약 이러한 수술이 잘 되었음에도 문제가 생겼다면, 재수술시에는 Draf III (endoscopic modified Lothrop procedure)를 시행해볼 수 있다(그림 5-2-3). 비부비동염이 심한 환자에서 Draf III는 재발률을 낮추는 것이 증명되었다. 최근 수술 도구나 기법의 발전으로 Draf III가 비교적 안전하게 시행되고, 재발 가능성이 높은 경우(천식, CRSwNP, Lund-Mackay score > 16, 전두동 개구부 < 4 mm) 일차 수술에서도 비교적 흔히 시행되고 있다. Bassiouni 등의 연구에서 CRSwNP 환자에서 재발률이 Draf IIa는 37%인데 비해서, Draf III를 시행한 군에서는 7%로 Draf III가 더 나은 수술 결과를 보였다. Abuzeid 등의 메

타 연구에서 Draf III 수술 후 합병증으로 뇌척수액 누출은 2.5%, 수술 부위 협착은 17.1%, 개구부 완전 폐쇄는 3.9%에서 발생하였으며, 재수술은 9.0%에서 시행되었다고 보고하였다.

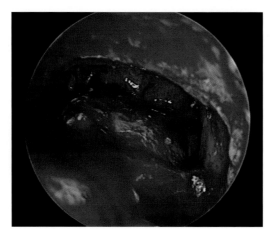

그림 5-2-3. Draf III (endoscopic modified Lothrop procedure)로 양측 전두동이 하나의 공간으로 되면서 잘 개방되어 있다.

CRSwNP 환자에서 7년 이상 추적 관찰한 연구결과, 6.5%의 환자에서 한 번 이상의 재수술이 필요했고, 평균 46개월 후 재발했다. 전두동 개구부가 좁은 경우에서 점막의 원형 손상이 발생하면 협착 가능성이 높기 때문에 수술 시 주의해야 한다.

4) 리부트 수술(reboot surgery)

재수술 범위는 질병의 심한 정도와 내재형에 따라서 정해진다. 일반적으로 염증이 심하고 재발 위험이 높은 경우, 좀 더 광범위한(extensive) 수술을 하는 것이 더 좋은 결과를 가져온다. 2006년에 Jankowski가 사골동 부비동 점막을 모두 제거하는 것이 건강한 점막 재생에 도움이 된다고 제안하였다. 처음 제안되었을 때는 논란이 있었지만, 최근에는 reboot 개념으로 받아들여지고 있는 추세이다. 특히 재발 가능성이 높은 심한 type 2 CRSwNP에서는 reboot 수술이 더 나은 것으로 받아들여지고 있다. 하지만, CRSsNP에서는 점막 제거의 역할이 여전히 불명확하다.

Reboot 수술법은 점막 제거 범위와 정도에 따라서, "partial reboot" 또는 "full reboot"

으로 나누어진다. Partial reboot은 폴립과 점막을 골막까지 제거하는 것이고, full reboot은 전두와뿐만 아니라 Draf Ⅲ를 시행해서 전두동 점막까지도 모두 제거하고, 협착을 방지하기 위해 전두동 개구부를 크게 넓히는 방법이다. 비록 통계적으로 유의미한 차이는 없었지만, full reboot이 partial reboot보다 더 나은 결과가 보고되었다. 그러나 아직은 좀 더 많은 연구 결과가 필요하다.

6. 수술 후 관리

아직 정립되어 있지는 않지만, 수술 부위를 깨끗하게 유지하고 국소 스테로이드가 잘 도달하게 해서, 부비동의 개방성(patency)을 유지시키는 목적은 동일하다.

1) 국소 스테로이드 및 식염수 세척

재수술 후에는 가장 기본적인 수술 후 치료인 국소 스테로이드와 식염수 세척 외에도 추가적인 치료가 필요한 경우가 많다. 스테로이드 비강 세척이 스프레이보다 수술 부위에 잘 도달하기 때문에 더 나은 결과를 가져올 수 있다. Harvey 등의 연구에서 CRS 환자를 수술 후 1년까지 관찰했을 때, 비강 세척 및 스프레이 두 경우 모두 호전은 있었지만, mometasone을 비강 세척으로 투여한 경우 더 나은 결과를 보였다. 하지만 최근에 시행된 CRS 환자 대상의 수술 후 비강 세척에 대한 메타 연구에서 식염수 비강 세척은 분명 도움이 되지만, 스테로이드를 세척액에 추가하는 것은 아직 명확한 이득을 찾기 어렵다고 보고하여서, CRS에서 수술 후 스테로이드 세척의 효과에 대해서는 조금 더 많은 연구가 필요하다.

현재까지 CRSsNP 환자에서만 시행된 스테로이드 세척에 대한 연구는 없으며 CRSsNP에서 스테로이드 비강 세척의 역할을 아직 알 수 없다.

2) 장기간 항생제 치료

재수술 후의 항생제 치료에 대한 연구는 아직 없다. 일차 수술 후 항생제 효과를 알아본 연구에서, 호산구 수치가 낮고 정상 IgE 수치를 보이는 CRSsNP 환자에서 4주 이상의 macrolide 치료는 효과가 어느 정도 입증되었다. Doxycycline은 CRSwNP에서 사용될 수 있고, trimethoprim/sulfamethoxazole은 화농성 CRS에서 효과를 보였다. 수술 후 약물치료는 수술 시에 시행한 균 배양 검사 결과와 조직검사에서 관찰되는 염증의 병태생리에 따른 항생제 및 스테로이드 치료를 시행하는 것이 필요하다.

3) 항균 광역학 치료(aPDT, antimicrobial photodynamic therapy)

항균 광역학 치료는 *in vitro* 연구에서 CRS의 생물막을 제거하는 것뿐만 아니라 항염증 작용도 있는 것으로 알려졌다. 난치성 CRS에서 효과를 보인 증례들이 보고된 후, 최근에 약물과 수술 치료에 반응하지 않는 23명의 CRSsNP과 24명의 CRSwNP 환자를 포함한 무작위 대조시험 연구에서 항균 광역학 치료를 시행한 환자에서 증상과 내시경 소견 모두 호전되었다. 특히 한 차례보다 4주 간격으로 두 차례 항균 광역학 치료를 시행한 CRSwNP 군에서 큰 호전을 보였다. 대부분 환자들이 큰 불편 없이 치료를 받았고 일시적인 부비동의 압박감정도가 가장 흔한 부작용이었다. 아직은 많은 추가 연구들이 필요하지만 항균 광역학 치료는 CRS의 치료방법으로서 가능성을 보였다.

4) 적극적 변연절제술(debridement)

변연절제술은 수술 후 내시경 소견을 호전시키고 수술 부위의 감염, 육아조직발생, 재협착 가능성을 낮춘다. 특히, Draf IIb와 III와 같이 점막 및 골절제를 광범위하게 시행한 경우 변연절제술은 더욱 도움이 된다. 하지만, 최근에 발표된 mixed CRS에서 시행된 리뷰 연구에서는 장기간 삶의 질이나 질병의 정도로 평가했을 때 변연절제술의 이익이 명확하지 않다고 보고했다.

일반적으로 일차 수술과 마찬가지로 재수술 후 7-10일에 첫 변연절제술을 시행하며, 환자에 따라서 그 일정은 변할 수 있다.

7. 결론

CRSwNP과 CRSsNP 모두에서 재수술은 도움이 된다. 난치성 비부비동염(특히 CRSwNP)에서 수술을 광범위하게 시행하는 것이 기능성 부비동 수술보다 좋은 결과를 보인다. 하지만, 재수술에 대한 연구는 일차 수술에 비해 부족해서 앞으로 더 많은 연구가 필요하며, 생물학적 제제의 사용이 일반화되면 재수술의 역할 또한 새롭게 정립될 것으로 보인다.

References

- Abuzeid WM, Vakil M, Lin J, Fastenberg J, Akbar NA, Fried MP, *et al.* Endoscopic modified Lothrop procedure after failure of primary endoscopic sinus surgery: a meta-analysis. Int Forum Allergy Rhinol 2018;8(5):605-13.

- Albu S, Tomescu E. Small and large middle meatus antrostomies in the treatment of chronic maxillary sinusitis. Otolaryngol Head Neck Surg 2004;131(4):542-7.

- Alsharif S, Jonstam K, van Zele T, Gevaert P, Holtappels G, Bachert C. Endoscopic Sinus Surgery for Type-2 CRS wNP: An Endotype-Based Retrospective Study. Laryngoscope 2019;129(6):1286-92.

- Alt JA, Orlandi RR, Mace JC, Soler ZM, Smith TL. Does Delaying Endoscopic Sinus Surgery Adversely Impact Quality-of-Life Outcomes? Laryngoscope 2019;129(2):303-11.

- Bachert C, Zhang N, Hellings PW, Bousquet J. Endotype-driven care pathways in patients with chronic rhinosinusitis. J Allergy Clin Immunol 2018;141(5):1543-51.

- Bachert C, Zhang N. Medical algorithm: Diagnosis and treatment of chronic rhinosinusitis. Allergy 2020;75(1):240-2.

- Bassiouni A, Wormald PJ. Role of frontal sinus surgery in nasal polyp recurrence. Laryngoscope 2013;123(1):36-41.

- Benkhatar H, Khettab I, Sultanik P, Laccourreye O, Bonfils P. Frontal sinus revision rate after nasal polyposis surgery including frontal recess clearance and middle turbinectomy: A long-term analysis. Auris Nasus Larynx 2018;45(4):740-6.

- Chen XZ, Feng SY, Chang LH, Lai XP, Chen XH, Li X, *et al.* The effects of nasal irrigation with various solutions after endoscopic sinus surgery: systematic review and meta-analysis. J Laryngol Otol 2018;132(8):673-9.

- Costa ML, Psaltis AJ, Nayak JV, Hwang PH. Long-term outcomes of endoscopic maxillary mega-antrostomy for refractory chronic maxillary sinusitis. Int Forum Allergy Rhinol 2015;5(1):60-5.

- Fokkens WJ, Lund VJ, Hopkins C, Hellings PW, Kern R, Reitsma S, *et al.* European Position Paper on Rhinosinusitis and Nasal Polyps 2020. Rhinology 2020;58(Suppl S29):1-464.

- Harvey RJ, Snidvongs K, Kalish LH, Oakley GM, Sacks R. Corticosteroid nasal irrigations are more effective than simple sprays in a randomized double-blinded placebo-controlled trial for chronic rhinosinusitis after sinus surgery. Int Forum Allergy Rhinol 2018;8(4):461-70.

- Hu X, Huang YY, Wang Y, Wang X, Hamblin MR. Antimicrobial Photodynamic Therapy to Control Clinically Relevant Biofilm Infections. Front Microbiol 2018;9:1299.

- Huang Z, Hajjij A, Li G, Nayak JV, Zhou B, Hwang PH. Clinical predictors of neo-osteogenesis in patients with chronic rhinosinusitis. Int Forum Allergy Rhinol 2015;5(4):303-9.

- Korban ZR, Casiano RR. Standard Endoscopic Approaches in Frontal Sinus Surgery: Technical Pearls and Approach Selection. Otolaryngol Clin North Am 2016;49(4):989-1006.

- Lal D, Hopkins C, Divekar RD. SNOT-22-based clusters in chronic rhinosinusitis without nasal polyposis exhibit distinct endotypic and prognostic differences. Int Forum Allergy Rhinol 2018;8(7):797-805.

- Oakley GM, Christensen JM, Sacks R, Earls P, Harvey RJ. Characteristics of macrolide responders in persistent post-surgical rhinosinusitis. Rhinology 2018;56(2):111-7.

- Pinther S, Deeb R, Peterson EL, Standring RT, Craig JR. Complications Are Rare From Middle Turbinate Resection: A Prospective Case Series. Am J Rhinol Allergy 2019;33(6):657-64.

- Ramadan HH. Surgical causes of failure in endoscopic sinus surgery. Laryngoscope 1999;109(1):27-9.

- Rhinology/Allergy. Otolaryngol Head Neck Surg 2016;155(1_suppl):P28-p31.

- Rudmik L, Xu Y, Alt JA, Deconde A, Smith TL, Schlosser RJ, et al. Evaluating Surgeon-Specific Performance for Endoscopic Sinus Surgery. JAMA Otolaryngol Head Neck Surg 2017;143(9):891-8.

- Singhal D, Psaltis AJ, Foreman A, Wormald PJ. The impact of biofilms on outcomes after endoscopic sinus surgery. Am J Rhinol Allergy 2010;24(3):169-74.

- Socher JA, Mello J, Baltha BB. Tomographical Findings in Adult Patients Undergoing Endoscopic Sinus Surgery Revision. Int Arch Otorhinolaryngol 2018;22(1):73-80.

- Tzelnick S, Alkan U, Leshno M, Hwang P, Soudry E. Sinonasal debridement versus no debridement for the postoperative care of patients undergoing endoscopic sinus surgery. Cochrane Database Syst Rev 2018;11(11):Cd011988.

- Valdes CJ, Bogado M, Samaha M. Causes of failure in endoscopic frontal sinus surgery in chronic rhinosinusitis patients. Int Forum Allergy Rhinol 2014;4(6):502-6.

- Van Zele T, Holtappels G, Gevaert P, Bachert C. Differences in initial immunoprofiles between recurrent and nonrecurrent chronic rhinosinusitis with nasal polyps. Am J Rhinol Allergy 2014;28(3):192-8.

만성 비부비동염의 수술 치료
5-3. 수술 전/후 관리 및 약물치료

장용주, 김지희

Graphic abstract

Preoperative

- INS (recommended)
- Systemic steroid for CRSwNPs (recommended)

ESS for CRSsNPs and CRSwNPs

Postoperative

- Normal saline irrigations (recommended)
- Sinus cavity debridement (recommended)
- INS (recommended)
- Oral antibiotics (optional)
- Topical decongestants (against)
- Packing (optional)
- Anti-leukotrienes (against)
- Mitomycin C (against)

Abbreviations:

INS, intranasal steroid; CRSsNP, chronic rhinosinusitis without nasal polyp; CRSwNP, chronic rhinosinusitis with nasal polyp

1. 내시경 부비동 수술의 수술 전 관리

부비동 내시경 수술(endoscopic sinus surgery, ESS)은 적절한 내과적 치료에 반응하지 않는 만성 비부비동염(chronic rhinosinusitis, CRS) 환자의 표준 치료 방법이다. 수술 전 관리는 ESS의 필수적인 부분이며 성공적인 수술 결과를 얻기 위해 환자에게 최적의 수술 전후 관리를 제공해야 한다. 수술 전 관리의 목적은 CRS를 치료하는 것이 아니라 수술을 위한 최상의 조건을 만드는 것이다. 수술 결과는 여러 요인에 따라 달라지는데, 특히 수술 중 출혈을 잘 조절하는 것이 매우 중요하다. 출혈로 인한 수술 시야 방해는 정확한 박리를 어렵게 하고 수술 시간을 연장시키며 합병증 발생률을 높일 수 있다. 따라서 수술 전 관리의 실질적인 목적은 수술 중 내시경 시야가 방해받지 않도록 하는 것이라고 할 수 있다.

수술 전 중증도는 수술 중 출혈을 예측하는 요인으로, 처음 수술을 받는 환자의 코호트에서 수술 전 Lund-Mackay 점수가 수술 중 출혈과 유의한 상관관계가 있다고 보고되었다. 다른 연구에서도 질병의 정도가 수술 중 출혈에 대한 예측 인자라고 보고하였다. 이 외에도 부비동 점막의 염증 및 혈류를 감소시킴으로써 수술 중 가시성을 개선시킨다고 하여 전신 또는 국소 스테로이드 및 항생제 치료가 수술 전 치료법으로 고려된다.

1) 비용종을 동반하지 않은 만성 비부비동염의 수술 전 관리

(1) 수술 전 스테로이드

비용종을 동반하지 않은 만성 비부비동염(chronic rhinosinusitis without nasal polyp, CRSsNP) 환자만을 대상으로 수술 전 스테로이드 사용에 대한 효과를 평가한 임상 시험은 없으며, 대부분의 연구는 비용종을 동반한 만성 비부비동염(chronic rhinosinusitis with nasal polyp, CRSwNP) 환자들과 함께 구성된 코호트에서 이루어졌다. 수술 4주 전 비강 스테로이드제(mometasone furoate 200 µg, 하루 2회)의 효과에 대한 이중 맹검, 무작위 배정 임상시험은 수술 중 출혈량을 줄이고 수술 시야를 개선시키며, 수술 시간을 줄일 수 있다고 보고하였다. 최근 한 메타 분석에서도 수술 전 비강 스테로이드 사용이 유의한 출혈량을 감소시킬 수 있다고 보고하였다. 그러나 비용종 유무에 관계없이 CRS 환자에서 수술 전 3개월 이상의 비강 스테로이드의 사용은 수술 중 출혈을 증가시킬 수 있다고 한다.

스테로이드 치료가 잠재적인 부작용을 유발할 수 있다는 것은 잘 알려져 있다. 드물지만 경구 스테로이드는 쿠싱병, 혈당 장애, 위장관 궤양, 무혈성 괴사와 같은 부작용과 관련이 있다. 비강 스테로이드 사용은 비강 건조, 출혈, 작열감, 인후 자극 등을 유발할 수 있다.

따라서, 수술 전 3개월 미만의 국소 스테로이드 사용은 수술 중 출혈을 감소시켜 수술 시야를 개선시키는 데 도움을 줄 수 있을 것이다. CRSsNP에서 수술 전 경구 스테로이드의 효과에 대한 연구는 없으며 알려진 위험을 능가할 만큼의 이점이 충분하지 않다.

(2) 수술 전 경구 항생제

CRSsNP 환자만을 대상으로 한 전신 항생제 사용에 대한 연구는 없다. 수술 전 항생제 사용은 내시경 점수를 개선시키지는 않으나 증상을 개선시키는 효과가 있다고 한다. 그러나 수술 전 29일 이상 90일 이내의 고용량의 항생제를 투여한 환자들에서는 증상 개선 효과가 적었다. 몇몇 메타 분석은 macrolide가 효과적이라고 하였으며, 다른 연구들에서는 항생제 종류에 관계없이 9-14일 이내 단기간의 항생제 사용은 증상을 개선시킨다고 보고되었다.

경구 항생제는 부작용이 거의 없어 비교적 안전하지만, 피부발진, 약물열, 복통, 설사, 오심, 구토 등의 위장장애가 나타날 수 있다. 드문 경우지만 신장 독성이나 간 독성과 같은 더 심각한 부작용을 유발할 수 있다.

수술 전 항생제 사용이 수술에 대한 직접적 효과가 있는지에 대한 연구는 없지만, 비강 폐색과 후각 저하, 증상이 심한 환자일수록 수술 중 출혈량이 많고 수술 시간이 길어지는 것을 고려할 때, 세균 배양 검사 결과에 근거한 단기간의 수술 전 경구 항생제 사용은 도움이 될 수 있다.

2) 비용종을 동반한 만성 비부비동염의 수술 전 관리

(1) 수술 전 스테로이드

수술 전 스테로이드의 사용은 수술 중 출혈량과 수술 시간을 감소시킬 수 있고, 수술 시야를 개선시킬 수 있다. 한 메타 분석에 따르면, 비강 스테로이드나 전신 스테로이드 사용은 수술 중 출혈 감소에 대해 유사한 효과를 보였다.

수술 전 경구 스테로이드 치료는 위약에 비해 비강 점막의 염증을 개선시킬 수 있고 수술 중 어려움을 감소시킬 수 있으며, 5일간 또는 한 번의 투약 모두 수술 시야를 개선시킬 수 있다고 한다. 7일간 하루 1회 60 mg prednisolone 투약 후 10일간 이틀마다 10 mg씩 감량하였을 때, 출혈량과 수술 시야 및 수술 시간을 개선시키는 것 이외에도 입원기간을 감소시켰다고 보고되었다.

따라서 스테로이드에 의해 악화될 수 있는 동반 질환이 없는 CRSwNP 환자에서 수술 전 상태를 개선시키기 위해 비강 또는 전신 스테로이드 사용이 권고된다. 용량 및 기간에 대한 근거는 명확하지 않으나 경구 스테로이드는 감량을 하거나 하지 않거나 수술 전 7일 이내 30-60 mg를 투약하는 것이 일반적이다.

(2) 수술 전 경구 항생제

CRSwNP에 대한 수술 전 항생제 치료에 대한 연구는 없다. 한 연구에서 macrolide가 비용종 크기를 감소시킬 수 있다고 하였으나, 수술 전 항생제 치료의 역할에 대해서는 연구가 더 필요하다.

2. 부비동 수술 후 처치

1) 생리식염수 코세척

여러 연구에서 부비동 수술 후 생리식염수 코세척의 증상 개선 효과를 보고하였다. 경증의 CRS 환자에서 수술 후 드레싱과 함께 생리식염수 코세척을 시행하는 것은 드레싱만 시행했을 때보다 증상과 내시경 소견의 유의한 개선 효과가 있었다고 한다. 생리식염수 코세척은 수술 후 초기 3주의 내시경 소견과 점액 섬모운동을 개선시킬 수 있다고 하였으나, 이 연구에서는 소량(2 mL 분무)을 사용하여 일반적인 다량(240 mL)의 생리식염수 코세척에 대한 효과를 직접적으로 적용할 수 없다. 따라서 수술 후 생리식염수 코세척에 대한 이상적인 양과 빈도에 대해서는 연구가 필요하다.

생리식염수 코세척의 부작용은 국소 자극, 이통, 비출혈, 두통, 작열감, 콧물 등이 있다. 생리식염수 코세척 용기의 세균 오염은 흔하게 발생할 수 있는데, 용기의 사용 기간과 오염 정도의 상관관계는 없다고 하며 용기의 오염이 수술 후 감염률을 증가시키는지에 대해서도 명확하지 않다.

효과적인 생리식염수 코세척액을 찾기 위한 여러 연구들이 있었는데, 고장성(hypertonic) 생리식염수 코세척은 수술 후 통증을 증가시킬 수 있다고 하였다. 고장성 식염수와 계면활성제인 유아용 샴푸(1% baby shampoo) 세척을 비교하였을 때, 후각과 삶의 질 개선 효과의 차이가 없었으나, 부작용 발생률이 샴푸 세척에서 더 높게 나타났다. 최근 2.3%의 고장성 해수 용액을 생리식염수와 비교한 연구에서 고장성 해수 용액이 수술 후 1개월째 증상과 내시경 점수가 유의하게 개선시킨다고 보고되었지만, 이는 매우 작은 차이로서 임상적으로는 의미가 없다.

생리식염수와 비교하여 다양한 세척액(링거액, 고장성 식염수, 전해 산성수, amphotericin B)의 수술 후 비강 세척 효과를 분석한 코크란 리뷰(Cochrane review)에서는 증상과 내시경 점수의 개선 효과의 유의한 차이가 없으므로, 추가적인 세척액 사용이 생리식염수 단독 사용보다 장점이 없다고 하였다. 따라서, 생리식염수 코세척은 수술 후 초기 증상과 내시경 소견을 개선시키는 데 도움이 되므로, 수술 후 24-48시간부터 매일 생리 생리식염수 코세척을 시행하는 것을 권고한다.

2) 부비동 드레싱

코크란 리뷰에서 드레싱을 시행한 경우 통계적 유의성은 없으나 Lund-Kennedy 내시경 점수가 더 좋으며 재수술률의 차이는 없으나 유착률이 유의하게 낮았다. 이러한 근거들로, 수술 후 외래에서 드레싱을 시행할 것을 권고한다.

3) 비강 스테로이드

수술 후 비강 스테로이드와 위약의 효과를 비교한 11개의 이중 맹검, 무작위 배정 임상시험에 대한 메타 분석에서, 비강 스테로이드 그룹은 6개월 및 12개월의 내시경 점수, 증상 점수, 비용종의 재발률이 유의하게 개선되는 효과를 보였다. 18개의 이중 맹검, 무작위 배정 임상시험에 대한 최근의 메타 분석에서는 수술 후 증상 점수의 차이는 없었으나, 6개월과 12개월에 내시경 점수의 유의한 개선 효과가 있었고, 특히 CRSwNP 환자에서 비용종의 재발률이 유의하게 낮았다고 보고되었다. 비강 스테로이드제 사용에 따른 수술 후 감염률의 증가는 없었다고 한다.

따라서 수술 후 비강 스테로이드 치료는 수술 후 점막 염증 조절에 필수적이며 내시경 부비동 수술 후 시작할 것을 권고한다.

Budesonide와 식염수를 섞어서 세척하는 경우와 식염수만으로 세척하는 경우의 효과를 비교한 이중 맹검, 무작위 배정 임상시험에서 수술 후 3-6개월에 삶의 질 및 후각 개선 효과의 차이는 없었다고 보고되었다. 스테로이드 다량 세척에 대한 최근의 메타 분석에서도 삶의 질 점수와 내시경 점수가 식염수 세척과 비교 시 차이는 없었으나 유의하게 개선되는 효과를 보였고 스테로이드 세척으로 인한 안압 증가나 부신 억제와 같은 부작용은 없었다고 한다.

4) 경구 항생제

ESS 후 세균 감염은 치유 기간을 연장시키고, 증상을 악화시키며 잠재적 국소 합병증을 유발할 수 있다. 전통적으로 수술 후 단기간(7-10일) 항생제가 권장되었으나, 수술 후 경구 항생제의 효과에 대한 적절한 연구는 적고 항생제의 합병증 감소와 수술 결과 개선 효과는 명확하지 않다.

2010년도에 보고된 수술 후 amoxicillin/clavulanate (625 mg, 하루 2회, 2주)의 효과에 대한 이중 맹검, 무작위 배정 임상시험에서 항생제 복용 시 수술 첫 5일 이내에 증상이 개선되고 12일에 내시경 소견이 개선되며, 가피 형성이 감소한다고 하였다. 그러나 이는 가장 초기에 보고된 2일간 cefuroxime axetil 복용 시 수술 후 결과에 차이가 없었다는 이중 맹검, 무작위 배정 임상시험 결과와 큰 차이가 없어 보였다.

12주간 위약과 azithromycin(매일, 250 mg)의 효과에 대한 이중 맹검, 무작위 배정 임상시험에서 위약보다 azithromycin 투약 그룹에서 더 큰 증상 개선 효과가 있었으나 절대 점수는 9점 차이로 크지 않아 임상적으로 의미는 적다고 할 수 있다. 다른 이중 맹검, 무작위 배정 임상시험에서 저용량의 erythromycin(매일, 250 mg)과 위약의 효과를 비교하였을 때, 3 개월 후 비점액에서 eosinophil cationic protein (ECP)과 myeloperoxidase (MPO)의 차이는 없었고 erythromycin 투약 그룹에서 더 좋은 내시경 점수를 보였으나 6개월째 내시경 점수의 차이는 없었다고 한다. 따라서 수술 후 사용할 항생제 종류 및 기간, 용량에 대한 연구가 필요하다.

예방적 항생제의 잠재적인 부작용이 보고되었는데, 경련 및 설사와 같은 위장 증상이 가장 흔하게 발생한다. 드물게 *Clostridium difficile* 대장염, 아나필락시스, 세균 내성 증가 등이 발생할 수 있다.

항생제 선택은 일반적인 비부비동염 병원체를 고려해야 하며 일반적으로 penicillin 기반 약제 또는 macrolide를 사용한다. ESS 시 종종 세균 감염을 확인하게 되는데, 현재까지 부비동 수술 시 화농이 발견되었을 때 예방적 항생제 치료의 이점을 조사한 연구는 없었다. 이런 경우 수술 중 배양 및 항생제 민감도를 기반으로 특정 세균을 표적으로 삼을 수 있다.

비중격교정술이 ESS와 함께 수행되는 경우에 비중격 부목이나 스페이서 또는 지혈제와 같은 기타 이물질을 삽입할 수 있으므로, 이론적으로 드물게 발생할 수 있는 독성 쇼크 증후군을 예방하기 위하여 항포도상구균 예방적 항생제가 처방되어 왔지만, 이러한 상황을 평가할 수 있는 증거는 명확하지 않다.

이득과 잠재적인 부작용을 모두 고려하여 수술 후 항생제 사용은 선택 사항임을 권고한다.

5) 국소 항울혈제

일반적으로 사용되지는 않지만 수술 후 초기에 국소 항울혈제의 사용은 혈관 수축을 유도하여 점막 부종을 감소시킬 수 있다는 이론적 잠재력이 있다. 그러나 ESS 후 초기에 xylometazoline과 생리식염수 스프레이의 효과를 비교한 단일 맹검, 무작위 배정 임상시험에서 증상과 출혈은 두 군 간에 차이가 없고 xylometazoline 사용 그룹에서 수술 후 통증이 더 심했다.

따라서 잠재적 부작용이 있고 명확한 이점이 없기 때문에 국소 항울혈제 사용을 권장하지 않는다.

6) 패킹(packing)/스페이서(spacer)

ESS 후 패킹에 대한 메타 분석에서 패킹 사용 시 유의하지는 않으나 유착 형성이 감소하였고, 비흡수성 스페이서가 흡수성 스페이서에 비해 개선된 결과를 보였다고 보고하였다. 그러나 이 분석에 포함된 연구들의 디자인과 사용된 재료가 매우 이질적이어서 명확한 권고 사항을 제시할 수 없었다. ESS 후 용해성 패킹과 비용해성 패킹을 비교한 다른 메타분석에서도 연구 간에 상당한 이질성을 발견하였고 용해성 패킹이 더 나은 결과를 보이지 않는다고 하였다. 용해성 패킹과 비용해성 패킹을 비교한 다른 무작위 임상시험에서는 수술 후 6개월에 내시경 점수의 유의한 차이가 없었으나 비용해성 패킹 사용 동안 통증이 증가한다고 보고하였다.

따라서 패킹 사용 시 유착률이 더 낮고 더 나은 부비동 모양을 보이는 경향을 보이고, 통증을 덜 유발하는 패킹을 사용하는 경향으로, 패킹이나 스페이서 사용은 선택 사항임을 권고한다.

7) 전신 스테로이드

모든 환자가 스테로이드 방출 중비도 스페이서를 받은 다음 전신 스테로이드(7일간 매일 prednisolone 30 mg) 또는 위약을 투약하였을 때 효과를 비교한 무작위 배정 임상시험에서 두 그룹 간에 내시경 소견 또는 환자의 삶의 질 결과에서 유의한 차이가 없으므로 스테로이드 방출 스텐트를 사용할 때 전신 스테로이드의 추가 이득이 없다고 하였다.

초기 치료 그룹이 매일 비강 스테로이드를 투여하고 후속 치료 그룹이 매일 국소 스테로이드를 투여하면서 매일 두 번 20일간 경구용 methylprednisolone을 감량한 후 3년 이상 추적 관찰하였을 때, 1년 후 비용종 재발률 또는 그룹 간의 무병 기간에 차이가 없다고 하였다. 이러한 결과들을 바탕으로 전신 스테로이드 사용이 선택 사항임을 권고한다.

8) 항류코트리엔제

CRSwNP 환자에서 수술 후 비강 스테로이드와 함께 montelukast를 추가 사용하였을 때 비강 스테로이드의 단독 사용 시와 증상 점수, 비용종 및 내시경 점수의 차이가 없었다고 한다. 또한 수술 후 2주간 전신 스테로이드와 함께 montelukast를 추가하여도 추가적인 이득은 없었다고 한다. 따라서 수술 후 비강 스테로이드에 montelukast를 추가 사용하는 것을 권장하지 않는다.

항류코트리엔제의 다양한 신경정신병적 부작용이 보고되어 있으나 근거가 상충된다.

9) Mitomycin C

Mitomycin C는 항섬유아세포 화학요법제로서 협착, 흉터 형성 및 유착 형성을 예방하기 위해 국소적으로 사용되었다. 두경부의 다른 부위(기도, 비강, 눈물샘 등)에서는 통제된 연구의 증거가 부족하고 mitomycin C의 명확한 이점이 나타나지 않았지만, mitomycin C 사용 시 유착률이 낮을 것이라고 믿고 재수술 또는 고위험 사례에서 사용해왔다. Mitomycin C의 국소 사용은 비허가 사항(off-label)이다.

한 쪽 부비동에 무작위로 약물을 사용하고, 반대쪽은 대조 약물을 사용하는 유사한 디자인의 2개의 무작위 배정 임상시험이 있었다. 수술 종료 후 5분간 mitomycin C를 국소 적용하여 유착, 육아 조직 및 상악공 협착에 대한 내시경 결과를 평가하였을 때, 두 연구 모두에서 5-6개월째 mitomycin C와 대조 약물의 내시경 또는 증상의 결과 차이는 없었다.

따라서, 잠재적인 부작용이 있고 명확한 장기적 이점이 없기 때문에 일반적인 ESS 후 mitomycin C의 국소 사용을 권장하지 않는다.

10) 기타 치료법

수술 후 6주간 생리식염수와 9 mg 히알루론산 나트륨(sodium hyaluronate)를 사용한 비강 세척을 비교하였을 때, 3주와 6주에 Lund-Kennedy 내시경 점수, 증상 점수 모두 통계적으로 유의한 차이가 없었다.

정확히 "치료"는 아니지만 ESS 후 출혈을 유발하거나 두개저 또는 안와로 공기가 들어가게 할 가능성에 대한 우려로 제한되기도 한 코 풀기(nasal blowing)에 대해 최근 무작위 배정 임상시험이 있었다. 1주일간 하루에 두 번 코 풀기를 한 그룹이 코 풀기를 하지 않은 그룹과 내시경 소견과 증상 점수의 차이가 없었지만 분비물 증상의 개선을 보였고 출혈의 빈도나 정도를 악화시키지 않기 때문에 부작용이 없었던 ESS 후 코 풀기는 "허용될 수 있다"고 하였다.

References

- Albu S, Gocea A, Mitre I. Preoperative treatment with topical corticoids and bleeding during primary endoscopic sinus surgery. Otolaryngology--head and neck surgery : official journal of American Academy of Otolaryngology-Head and Neck Surgery 2010;143(4):573-8.

- Albu S, Lucaciu R. Prophylactic antibiotics in endoscopic sinus surgery: a short follow-up study. American journal of rhinology & allergy 2010;24(4):306-9.

- Amali A, Saedi B, Rahavi-Ezabadi S, Ghazavi H, Hassanpoor N. Long-term postoperative azithromycin in patients with chronic rhinosinusitis: A randomized clinical trial. Am J Rhinol Allergy 2015;29(6):421-4.

- Annys E, Jorissen M. Short term effects of antibiotics (Zinnat) after endoscopic sinus surgery. Acta oto-rhino-laryngologica Belgica 2000;54(1):23-8.

- Atighechi S, Azimi MR, Mirvakili SA, Baradaranfar MH, Dadgarnia MH. Evaluation of intraoperative bleeding during an endoscopic surgery of nasal polyposis after a pre-operative single dose versus a 5-day course of corticosteroid. European archives of oto-rhino-laryngology : official journal of the European Federation of Oto-Rhino-Laryngological Societies (EUFOS) : affiliated with the German Society for Oto-Rhino-Laryngology - Head and Neck Surgery 2013;270(9):2451-4.

- Ayoub N, Chitsuthipakorn W, Nayak JV, Patel ZM, Hwang PH. Nose blowing after endoscopic sinus surgery does not adversely affect outcomes. The Laryngoscope 2018;128(6):1268-73.

- Baradaranfar MH, Khadem J, Taghipoor Zahir S, Kouhi A, Dadgarnia MH, Baradarnfar A. Prevention of adhesion after endoscopic sinus surgery: role of mitomycin C. Acta medica Iranica 2011;49(3):131-5.

- Brescia G, Marioni G, Franchella S, Ramacciotti G, Pendolino AL, Callegaro F, et al. Post-operative steroid treatment for eosinophilic-type sinonasal polyposis. Acta oto-laryngologica 2015;135(11):1200-4.

- Chen XZ, Feng SY, Chang LH, Lai XP, Chen XH, Li X, et al. The effects of nasal irrigation with various solutions after endoscopic sinus surgery: systematic review and meta-analysis. The Journal of laryngology and otology 2018;132(8):673-9.

- Dautremont JF, Mechor B, Rudmik L. The role of immediate postoperative systemic corticosteroids when utilizing a steroid-eluting spacer following sinus surgery. Otolaryngology--head and neck surgery : official journal of American Academy of Otolaryngology-Head and Neck Surgery 2014;150(4):689-95.

• Ecevit MC, Erdag TK, Dogan E, Sutay S. Effect of steroids for nasal polyposis surgery: A placebo-controlled, randomized, double-blind study. The Laryngoscope 2015;125(9):2041-5.

• Fandiño M, Macdonald KI, Lee J, Witterick IJ. The use of postoperative topical corticosteroids in chronic rhinosinusitis with nasal polyps: a systematic review and meta-analysis. American journal of rhinology & allergy 2013;27(5):e146-57.

• Farag AA, Deal AM, McKinney KA, Thorp BD, Senior BA, Ebert CS, Jr., et al. Single-blind randomized controlled trial of surfactant vs hypertonic saline irrigation following endoscopic endonasal surgery. International forum of allergy & rhinology 2013;3(4):276-80.

• Freeman SR, Sivayoham ES, Jepson K, de Carpentier J. A preliminary randomised controlled trial evaluating the efficacy of saline douching following endoscopic sinus surgery. Clinical otolaryngology : official journal of ENT-UK ; official journal of Netherlands Society for Oto-Rhino-Laryngology & Cervico-Facial Surgery 2008;33(5):462-5.

• Grzegorzek T, Kolebacz B, Stryjewska-Makuch G, Kasperska-Zając A, Misiołek M. The influence of selected preoperative factors on the course of endoscopic surgery in patients with chronic rhinosinusitis. Advances in clinical and experimental medicine : official organ Wroclaw Medical University 2014;23(1):69-78.

• Haarman MG, van Hunsel F, de Vries TW. Adverse drug reactions of montelukast in children and adults. Pharmacology research & perspectives 2017;5(5).

• Haxel BR, Clemens M, Karaiskaki N, Dippold U, Kettern L, Mann WJ. Controlled trial for long-term low-dose erythromycin after sinus surgery for chronic rhinosinusitis. Laryngoscope 2015;125(5):1048-55.

• Head K, Chong LY, Piromchai P, Hopkins C, Philpott C, Schilder AG, et al. Systemic and topical antibiotics for chronic rhinosinusitis. The Cochrane database of systematic reviews 2016;4:Cd011994.

• Huck W, Reed BD, Nielsen RW, Ferguson RT, Gray DW, Lund GK, et al. Cefaclor vs amoxicillin in the treatment of acute, recurrent, and chronic sinusitis. Archives of family medicine 1993;2(5):497-503.

• Humphreys MR, Grant D, McKean SA, Eng CY, Townend J, Evans AS. Xylometazoline hydrochloride 0.1 per cent versus physiological saline in nasal surgical aftercare: a randomised, single-blinded, comparative clinical trial. The Journal of laryngology and otology 2009;123(1):85-90.

· Hwang SH, Seo JH, Joo YH, Kang JM. Does the Preoperative Administration of Steroids Reduce Intraoperative Bleeding during Endoscopic Surgery of Nasal Polyps? Otolaryngology--head and neck surgery : official journal of American Academy of Otolaryngology-Head and Neck Surgery 2016;155(6):949-55.

· Kennedy DW. Prognostic factors, outcomes and staging in ethmoid sinus surgery. The Laryngoscope 1992;102(12 Pt 2 Suppl 57):1-18.

· Law SWY, Wong AYS, Anand S, Wong ICK, Chan EW. Neuropsychiatric Events Associated with Leukotriene-Modifying Agents: A Systematic Review. Drug safety 2018;41(3):253-65.

· Lee JM, Grewal A. Middle meatal spacers for the prevention of synechiae following endoscopic sinus surgery: a systematic review and meta-analysis of randomized controlled trials. International forum of allergy & rhinology 2012;2(6):477-86.

· Lee JM, Nayak JV, Doghramji LL, Welch KC, Chiu AG. Assessing the risk of irrigation bottle and fluid contamination after endoscopic sinus surgery. American journal of rhinology & allergy 2010;24(3):197-9.

· Lewenza S, Charron-Mazenod L, Cho JJ, Mechor B. Identification of bacterial contaminants in sinus irrigation bottles from chronic rhinosinusitis patients. Journal of otolaryngology - head & neck surgery = Le Journal d'oto-rhino-laryngologie et de chirurgie cervico-faciale 2010;39(4):458-63.

· Liang KL, Su MC, Tseng HC, Jiang RS. Impact of pulsatile nasal irrigation on the prognosis of functional endoscopic sinus surgery. Journal of otolaryngology - head & neck surgery = Le Journal d'oto-rhino-laryngologie et de chirurgie cervico-faciale 2008;37(2):148-53.

· Lightman S, Scadding GK. Should intranasal corticosteroids be used for the treatment of ocular symptoms of allergic rhinoconjunctivitis? A review of their efficacy and safety profile. International archives of allergy and immunology 2012;158(4):317-25.

· Look MP, Musch E. Lipid peroxides in the polychemotherapy of cancer patients. Chemotherapy 1994;40(1):8-15.

· Mortuaire G, Bahij J, Maetz B, Chevalier D. Lund-Mackay score is predictive of bleeding in ethmoidectomy for nasal polyposis. Rhinology 2008;46(4):285-8.

- Mozzanica F, Preti A, Gera R, Bulgheroni C, Cardella A, Albera A, *et al.* Double-blind, randomised controlled trial on the efficacy of saline nasal irrigation with sodium hyaluronate after endoscopic sinus surgery. The Journal of laryngology and otology 2019;133(4):300-8.

- Namyslowski G, Misiolek M, Czecior E, Malafiej E, Orecka B, Namyslowski P, *et al.* Comparison of the efficacy and tolerability of amoxycillin/clavulanic acid 875 mg b.i.d. with cefuroxime 500 mg b.i.d. in the treatment of chronic and acute exacerbation of chronic sinusitis in adults. Journal of chemotherapy (Florence, Italy) 2002;14(5):508-17.

- Numthavaj P, Tanjararak K, Roongpuvapaht B, McEvoy M, Attia J, Thakkinstian A. Efficacy of Mitomycin C for postoperative endoscopic sinus surgery: a systematic review and meta-analysis. Clinical otolaryngology : official journal of ENT-UK ; official journal of Netherlands Society for Oto-Rhino-Laryngology & Cervico-Facial Surgery 2013;38(3):198-207.

- Perić A, Kovačević SV, Barać A, Gaćeša D, Perić AV, Jožin SM. Efficacy of hypertonic (2.3%) sea water in patients with aspirin-induced chronic rhinosinusitis following endoscopic sinus surgery. Acta oto-laryngologica 2019;139(6):529-35.

- Peric A, Vojvodic D, Baletic N, Peric A, Miljanovic O. Influence of allergy on the immunomodulatory and clinical effects of long-term low-dose macrolide treatment of nasal polyposis. Biomedical papers of the Medical Faculty of the University Palacky, Olomouc, Czechoslovakia 2010;154(4):327-33.

- Philip G, Hustad C, Noonan G, Malice MP, Ezekowitz A, Reiss TF, *et al.* Reports of suicidality in clinical trials of montelukast. The Journal of allergy and clinical immunology 2009;124(4):691-6.e6.

- Philip G, Hustad CM, Malice MP, Noonan G, Ezekowitz A, Reiss TF, *et al.* Analysis of behavior-related adverse experiences in clinical trials of montelukast. The Journal of allergy and clinical immunology 2009;124(4):699-706.e8.

- Pinto JM, Elwany S, Baroody FM, Naclerio RM. Effects of saline sprays on symptoms after endoscopic sinus surgery. American journal of rhinology 2006;20(2):191-6.

- Pundir V, Pundir J, Lancaster G, Baer S, Kirkland P, Cornet M, *et al.* Role of corticosteroids in Functional Endoscopic Sinus Surgery--a systematic review and meta-analysis. Rhinology 2016;54(1):3-19.

- Rabago D, Zgierska A, Mundt M, Barrett B, Bobula J, Maberry R. Efficacy of daily hypertonic saline nasal irrigation among patients with sinusitis: a randomized controlled trial. The Journal of family practice 2002;51(12):1049-55.

- Ramakrishnan VR, Mace JC, Soler ZM, Smith TL. Is greater antibiotic therapy prior to ESS associated with differences in surgical outcomes in CRS? The Laryngoscope 2019;129(3):558-66.

- Rawal RB, Deal AM, Ebert CS, Jr., Dhandha VH, Mitchell CA, Hang AX, *et al.* Post-operative budesonide irrigations for patients with polyposis: a blinded, randomized controlled trial. Rhinology 2015;53(3):227-34.

- Rechtweg JS, Paolini RV, Belmont MJ, Wax MK. Postoperative antibiotic use of septoplasty: a survey of practice habits of the membership of the American Rhinologic Society. American journal of rhinology 2001;15(5):315-20.

- Rupa V, Jacob M, Mathews MS, Seshadri MS. A prospective, randomised, placebo-controlled trial of postoperative oral steroid in allergic fungal sinusitis. European archives of oto-rhino-laryngology : official journal of the European Federation of Oto-Rhino-Laryngological Societies (EUFOS) : affiliated with the German Society for Oto-Rhino-Laryngology - Head and Neck Surgery 2010;267(2):233-8.

- Seresirikachorn K, Suwanparin N, Srisunthornphanich C, Chitsuthipakorn W, Kanjanawasee D, Snidvongs K. Factors of success of low-dose macrolides in chronic sinusitis: Systematic review and meta-analysis. The Laryngoscope 2019;129(7):1510-9.

- Shehab N, Patel PR, Srinivasan A, Budnitz DS. Emergency department visits for antibiotic-associated adverse events. Clinical infectious diseases : an official publication of the Infectious Diseases Society of America 2008;47(6):735-43.

- Shen S, Lou H, Wang C, Zhang L. Macrolide antibiotics in the treatment of chronic rhinosinusitis: evidence from a meta-analysis. Journal of thoracic disease 2018;10(10):5913-23.

- Sieskiewicz A, Olszewska E, Rogowski M, Grycz E. Preoperative corticosteroid oral therapy and intraoperative bleeding during functional endoscopic sinus surgery in patients with severe nasal polyposis: a preliminary investigation. The Annals of otology, rhinology, and laryngology 2006;115(7):490-4.

- Stammberger H, Posawetz W. Functional endoscopic sinus surgery. Concept, indications and results of the Messerklinger technique. European archives of oto-rhino-laryngology : official journal of the European Federation of Oto-Rhino-Laryngological Societies (EUFOS) : affiliated with the German Society for Oto-Rhino-Laryngology - Head and Neck Surgery 1990;247(2):63-76.

- Stewart RA, Ram B, Hamilton G, Weiner J, Kane KJ. Montelukast as an adjunct to oral and inhaled steroid therapy in chronic nasal polyposis. Otolaryngology--head and neck surgery : official journal of American Academy of Otolaryngology-Head and Neck Surgery 2008;139(5):682-7.

- Tirelli G, Lucangelo U, Sartori G, Da Mosto MC, Boscolo-Rizzo P, Bussani R, *et al.* Topical Steroids in Rhinosinusitis and Intraoperative Bleeding: More Harm Than Good? Ear, nose, & throat journal 2020;99(6):388-94.

- Tzelnick S, Alkan U, Leshno M, Hwang P, Soudry E. Sinonasal debridement versus no debridement for the postoperative care of patients undergoing endoscopic sinus surgery. The Cochrane database of systematic reviews 2018;11(11):Cd011988.

- Van Gerven L, Langdon C, Cordero A, Cardelús S, Mullol J, Alobid I. Lack of long-term add-on effect by montelukast in postoperative chronic rhinosinusitis patients with nasal polyps. The Laryngoscope 2018;128(8):1743-51.

- Venkatraman V, Balasubramanian D, Gopalakrishnan S, Saxena SK, Shanmugasundaram N. Topical Mitomycin C in functional endoscopic sinus surgery. European archives of oto-rhino-laryngology : official journal of the European Federation of Oto-Rhino-Laryngological Societies (EUFOS) : affiliated with the German Society for Oto-Rhino-Laryngology - Head and Neck Surgery 2012;269(7):1791-4.

- Verim A, Seneldir L, Naiboğlu B, Karaca Ç T, Külekçi S, Toros SZ, *et al.* Role of nasal packing in surgical outcome for chronic rhinosinusitis with polyposis. The Laryngoscope 2014;124(7):1529-35.

- Wang PC, Chu CC, Liang SC, Tai CJ. Outcome predictors for endoscopic sinus surgery. Otolaryngology--head and neck surgery : official journal of American Academy of Otolaryngology-Head and Neck Surgery 2002;126(2):154-9.

- Wang TC, Tai CJ, Tsou YA, Tsai LT, Li YF, Tsai MH. Absorbable and nonabsorbable packing after functional endoscopic sinus surgery: systematic review and meta-analysis of outcomes. European archives of oto-rhino-laryngology : official journal of the European Federation of Oto-Rhino-Laryngological Societies (EUFOS) : affiliated with the German Society for Oto-Rhino-Laryngology - Head and Neck Surgery 2015;272(8):1825-31.

- Wright ED, Agrawal S. Impact of perioperative systemic steroids on surgical outcomes in patients with chronic rhinosinusitis with polyposis: evaluation with the novel Perioperative Sinus Endoscopy (POSE) scoring system. The Laryngoscope 2007;117(11 Pt 2 Suppl 115):1-28.

- Yoon HY, Lee HS, Kim IH, Hwang SH. Post-operative corticosteroid irrigation for chronic rhinosinusitis after endoscopic sinus surgery: A meta-analysis. Clinical otolaryngology : official journal of ENT-UK ; official journal of Netherlands Society for Oto-Rhino-Laryngology & Cervico-Facial Surgery 2018;43(2):525-32.

VI

난치성 만성 비부비동염
환자의 치료

난치성 만성 비부비동염 환자의 치료

김수환, 김도현

Graphic abstract

Definition

Do not reach an acceptable level of control in the last year despite

- Adequate surgery
- INS
- Two short courses of antibiotics or systemic steroid

Refractory chronic rhinosinusitis

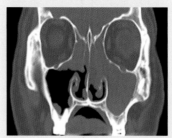

Pathophysiology

Wrong diagnosis
- Autoimmune & immunodeficiency disease
- Ciliary dysfunction disorders
- GERD
- Severe inhalant allergy

Ineffective therapy

Inappropriate therapy

Failed sinus

Severe disease

Treatment

Surgery : consider the failure factors below
- Failure to correct underlying ostial obstruction
- Creation of mucous trapping and recirculation issues
- Failure to exteriorize all the sinus cavities
- Difficult areas

Systemic steroid

Biologics

1. 난치성 만성 비부비동염의 정의

난치성(refractory) 만성 비부비동염(chronic rhinosinusitis, CRS)이란 권장 약물 및 수술 등 적절한 치료에도 불구하고 비부비동염의 증상이 지속되는 환자로 정의한다. 대부분의 CRS 환자는 조절 가능하지만 일부 환자는 최대한의 약물 치료 및 수술을 해도 조절되지 않은 경우가 있다. 난치성 CRS를 가진 환자의 75-80%가 부비동 내시경 재수술로부터 상당한 효과가 있지만, 수술 후 지속적인 약물 치료에도 불구하고 불편한 증상을 호소하는 경우를 난치성(recalcitrant)으로 분류한다. EPOS 2020에서는 최근 1년 동안 적절한 수술, 비강 내 스테로이드 치료, 2회 이하의 단기 항생제 또는 전신 스테로이드 치료에도 불구하고 조절 가능한 수준에 도달하지 못한 환자를 난치성(difficult-to-treat) CRS으로 정의하였다. EPOS 2020 가이드라인에 따르면, refractory와 recalcitrant는 동의어로 사용되며 EPOS에서는 recalcitrant라는 용어를 선호한다고 명시되어 있다.

CRS 치료 결과를 판단하는 기준 중에서 조절되지 않는(uncontrolled) CRS의 진단기준은 아래 항목 중 3개 이상이 해당될 경우이다.

1) 거의 매일 코막힘이 있는 경우
2) 거의 매일 점액 화농성의 콧물/후비루가 있는 경우
3) 거의 매일 안면통/안면 압박감이 있는 경우
4) 후각이 소실된 경우
5) 수면 장애나 피로감이 있는 경우
6) 비내시경상 점막 질환이 있는 경우
7) 최근 6개월 이내 구제 치료(rescue treatment)를 시행받았으나 상기 증상들이 지속되는 경우

비부비동염이 잘 낫지 않는 원인으로는 위식도 역류와 같이 다른 원인이 해결되지 않아 지속되는 경우, 아스피린 악화성 호흡기 질환(aspirin-exacerbated respiratory disease, AERD), 골염(osteitis), 중증 복합성 상부 기도 감염, 세균 생물막, 다발혈관염(polyangiitis) 및 유육종증(sarcoidosis), 호산구성 육아종증 다발혈관염(eosinophilic granulomatosis with polyangiitis), 과호산구성 증후군, 면역 결핍증과 같은 전신 염증 혹은 면역 질환, 낭포성 섬유증, 원발성 섬모운동이상증과 같은 유전적 질환이 있는 환자들이 포함되어 있다. 따라서 난치성 CRS의 치료는 일반적인 국소 항생제 및 면역조절제뿐만 아니라 다른 감별진단을 찾아보거나 다각도의 의료적 접근을 고려해야 하는 경우가 많다.

다른 문헌에서 난치성 CRS는 SNOT-22를 통한 삶의 질 검사에서 적어도 20점 이상의 최소한의 장애가 있고, CT 검사상에서도 Lund-Mackay 점수가 최소 1점 이상에 해당되는 부비동 염증 소견을 보이는 환자 중에서, 난치성 CRSwNP의 경우 국소 비강 내 스테로이드를 8주 이상 그리고 단기간 전신 스테로이드를 1-3주 치료를 받았지만 증상이 지속되는 경우, 난치성 CRSsNP는 국소 비강 내 스테로이드를 8주 이상 사용하였고 단기간 광범위/배양 결과에 따른 전신 항생제를 2-3주 혹은 장기간 전신 저용량 항염증 항생제를 12주 정도 치료를 받았지만 호전이 없는 경우로 정의하였다.

2. 난치성 만성 비부비동염 치료 방침과 생산성 비용

1) 난치성 만성 비부비동염 치료 방침

난치성 CRS는 만성 상태이기 때문에 급성 세균 감염 치료로는 효과가 제한적이다. 환자 교육에 있어서 이 질환의 만성적 특성을 이해시키고 질환의 경과 및 예후, 치료 방향에 대해 상담하는 것이 필요하다.

2) 생산성 비용(productivity costs)

난치성 CRS 환자의 평균 연간 결근 일수는 25-39일이며 이는 환자당 연간 평균 간접 비용이 10,000달러 이상이라 보고된다. 국내에서는 의료 보험 등 의료 체계의 차이는 있으나 난치성 CRS 환자에서 생산성 비용은 여전히 높다. 난치성 CRS 환자들이 약물 치료와 ESS 중에 선택을 할 때 생산성 비용이 영향을 줄 수 있다고 알려져 있다. 예를 들어 생산성 비용이 낮은 환자(예: 직장에서 기능이 좋은 환자)는 약물 치료를 유지하려 했으며, 그와 반대로 생산성 비용이 높은 환자(예: 직장에서 기능이 떨어지는 환자)는 ESS를 선택하는 경향이 있다. 그러므로 환자 중심 치료를 시행함에 있어, 각 환자들이 지닌 생산성 손상의 심각성을 평가하는 것이 중요하다.

3. 병인

EPOS 2020에서는 잘 조절되지 않는 CRS의 병인으로 표 6-1과 같은 분류를 제시하였다. 난치성 CRS에 대한 주요 병인을 살펴보면 아래와 같이 분류할 수 있다.

표 6-1. 난치성 부비동염의 요인

질환 관련 'SCUAD': Severe Chronic Upper Airway disease	진단 관련	치료 관련	환자 관련
외인성 요인	오진	불충분한 치료	협조 불량
내인성 요인	동반된 국소 또는 전신 질환을 감별하지 못함	잘못된 치료	환경 자극 물질에 대한 노출
유전적 요인	관련 질환의 부적절한 관리		
전반적 기도 질환			

1) 오진(wrong diagnosis)

환자의 면역 또는 관련된 상태와 같은 여러 문제 가능성을 고려하지 않고 CRS을 상기도와 관련된 국소적인 문제로만 받아들인 경우에 발생할 수 있다.

[1] 자가면역/면역결핍 질환(autoimmune & immunodeficiency diseases)

호산구성 육아종증 다발혈관염은 알레르기성 비염, CRS, 천식과 같은 상/하기도 염증이 나타난다. 치료가 잘 되지 않는 경우에 중이염증, 말초 신경병증, 심근병증과 부정맥 같은 심질환, 급성 신부전을 포함한 전신적 특징을 고려하여 접근하는 것이 중요하다. 50-70% 이상 p-ANCA 또는 antimyeloperoxidase antibodies가 양성이다. 과호산구증가증(hypereosinophilic syndrome) 또한 CRS의 치료가 잘 되지 않은 경우 드물게 나타난다. 이 환자의 최대 45%가 기도 염증 증상을 나타내고 19%에서 CRS가 동반된다. CRS에 걸리기 쉬운 다른 자가면역질환으로는 육아종증 다발혈관염(granulomatosis with polyangiitis) 및 유육종증(sarcoidosis) 등이 있다.

난치성 CRS 환자에서 분류 불능형 면역 결핍증(common variable immunodeficiency) (10%), IgG, IgA, IgM 감소(20%), 폐렴구균 백신에 대한 불충분한 반응(11-67%)을 확인할 수 있다고 보고된다. 다른 문헌에서는 난치성 비부비동염에서 면역 결핍의 유병률이 최대 50%일 수 있기 때문에 면역학적 검사를 수행해야 한다고 권고하였다.

특히 소아의 난치성 CRS의 경우 면역글로불린 결핍(IgG 아형 포함)과 백신에 대한 부족한 반응이 흔하기 때문에 체액성 면역 결핍에 대한 평가가 되어야 한다. 난치성 CRS 및 폐질환이 있는 소아, 특히 기관지 확장증, 전 내장 역위증(situs inversus totalis), 정자 이상(spermatozoid abnormalities)을 동반한 경우 원발성 섬모운동이상증을 의심해야 한다.

[2] 섬모 기능장애 질환(ciliary dysfunction disorders)

부비동염의 병인과 관련된 섬모 기능장애 질환에는 낭포성 섬유증과 원발성 섬모원동이상증이 있으며, 이는 우리나라에서 빈도가 매우 낮지만 발생 시 난치성 CRS의 가능성이 굉장히 높은 질환이다.

낭포성 섬유증은 재발성 기관지 감염, 진행성 폐쇄성 폐질환, 장의 흡수장애를 동반한 췌장 기능 부전을 특징으로 하는 만성 유전질환이다. 낭포성 섬유증 환자들은 거의 100%가 부비동 질환으로 방사선학적으로 이상을 보이며 최대 67%는 비용종증을 가지고 있다.

원발성 섬모운동이상증은 검사의 유용성이 낮아 진단이 어렵다. 전자 현미경을 사용한 모양체 미세구조를 통해 일반적으로 확인되나, 원발성 섬모운동이상증 환자의 최소 30%는 정상적인 미세구조를 가지고 있다. 비강 산화질소(nitric oxide)는 원발성 섬모운동이상증에서 수치가 정상 값의 10-20%로 크게 감소하여 유용하게 쓰일 수 있다. 유전자 검사를 통해 원발성 섬모운동이상증의 진단이 가능한데, 약 20개 이상의 유전자 이상이 보고되었다.

⑶ 위식도 역류 질환

위식도 역류 질환은 인구의 약 10%에 영향을 미치는 일반적인 위장 장애이며 CRS의 악화에 기여하는 요인 중 하나로 고려된다. 여러 문헌에서 CRS와 위식도 역류 질환 사이의 관계에 대한 연관성을 설명하였으나, 두 질환 사이의 관계는 복잡하고 불확실하여 난치성 CRS 환자에서 항역류 치료가 권고될 지 여부는 분명하지 않다.

⑷ 심한 호흡기 알레르기

제1형 과민반응이 있는 환자에서 CRS는 난치성 비부비동염으로 전환이 될 수 있다. 이러한 환자의 처음 진단은 부비동의 염증 질환이 아니라 알레르기 질환이다. 그런 경우에 알레르기 질환의 적절한 조절을 시행하지 않고 부비동 수술을 하면 난치성 비부비동염으로 진행될 수 있다. 이런 환자들은 종종 천식, 아토피 피부염, 결막염과도 관련이 있다. 비내시경 소견은 일반적으로 창백하고 비대해진 하비갑개, 자갈모양(cobblestone)의 점막, 중비갑개의 부종이 보인다.

2) 불충분한 치료

CRS의 초기 주 치료는 비강 세척 및 항생제 치료를 결합하여 비강 내 스테로이드를 사용하는 것이다. 국소 스테로이드 및 세척의 효과는 부비동 안쪽으로의 어느 정도 도달하는지에 따라 달려있다. 이러한 정도는 해부학 및 수술 상태, 전달 장치의 유형, 두위, 호흡 주기와 같은 다양한 요인들에 영향을 받는다. 수술을 하지 않은 환자는 두위, 사용된 양, 장치 유형에 관계없이 일관되지 않고 매우 제한된 부비동 내 분포를 보인다. 반면에 ESS는 모든 부비동에 대한 투과도를 증가시킨다. 전두동의 다량의 세척 전달을 위해서는 내시경 Lothrop 수술(modified endoscopic Lothrop procedure)이 필요할 수도 있다. 비강 세척과 국소 스테로이드 전달에 사용되는 기구 유형 또한 중요하다. 고용량 세척이 부비동 내 침투가 더 잘되며, CRS의 치료에 있어 국소 스테로이드의 전달을 용이하게 해준다. 고용량의 정확한 정의는 되어있지 않지만 100 mL 이상 시에 부비동으로 잘 전달되는 것으로 나타났다.

3) 부적절한 치료

일반적으로 부적절한 치료에는 CRS의 type과 관계없이 장기간 항생제를 사용하고, 비호산구성 CRS에서 전신적 스테로이드를 사용하는 것이 대표적이다. 전신적 스테로이드의 사용의 근거는 호산구성 CRS에서 충분하나 CRSsNP에서는 부족하다. 그러나 호산구성 CRS에서 CRSsNP가 드물게 발생하며, 비호산구성 CRS에서 CRSwNP가 생길 수 있어서 치료의 어려움이 발생한다. 또한 일반적인 CRS에서 국소 항생제, 경구 항진균제, 국소 항진균제의 사용에 대한 증거가 부족하다. 내성균에 대하여 부적절한 항생제의 치료는 특정 비호산구성 CRS 환자에서 치료 실패를 유발할 수 있다.

4) 부비동 기능 장애

부비동의 치료 후, 부비동 내의 적절한 배출을 위해 부비동의 효과적인 점액섬모 운동이 필요하다. 부비동이 기능하지 못하면 치료가 실패하고 질환이 재발한다. 만성 염증 과정으로 인한 상기도의 점막 리모델링은 잘 알려져 있으며, 조직병리학적으로 기저막의 비후, 섬유증, 편평상피화생(squamous metaplasia)이 보인다. 편평상피화생은 점액섬모 기능에 부정적인 영향을 미친다. 이러한 점막 재형성은 호산구성 및 비호산구성 CRS를 모두 포함하는 난치성 비부비동염에서 최대 80%에서 나타난다. 비강 내 스테로이드가 상피 복구를 촉진하고, 조직 재형성 마커를 조절하며, 콜라겐 함량을 증가시키고, 조직 호산구를 감소시키고, 편평상피화생으로부터 보호한다고 알려져 있다. 그러나 기존의 염증이 해결되었음에도 부비동 증상이 계속되는 섬모 기능의 상실과 같은 일부 변화는 비가역적이다. 상악동과 때때로 접형동에서 "sumps"의 형성은 조절되지 않는 군에서 가끔 볼 수 있는 또 다른 특징이다. 넓은 개구술에도 불구하고 상악동 바닥에서 국소적인 부종과 점액농성 분비물이 내시경으로 관찰되는데, 이는 상악동 점막이 적절하게 기능을 하지 않고 상악동 바닥 부분이 중력에 의존적인 위치여서 생긴 이차적인 현상이다. 이 특징은 사골동이나 전두동에서는 볼 수 없고, 접형동에서는 접형동 개구부보다 하단의 바닥에 질병이 국한된 경우 관찰될 수 있다.

5) 중증 질환(severe disease)

조직 및 혈청 호산구 증가증, 조절되지 않는 중증 천식 및 중증 알레르기(IgE > 1,000 IU/L)는 조절되지 않은 부비동염 환자들의 지표가 되기도 한다. 천식 조절이 어려운 환자는 두 질환의 공통 병인으로 인해 CRS의 조절도 어렵다. 호산구성 질환이 있는 천식 환자가 최대로 흡입 스테로이드 사용함에도 잘 조절되지 않는다면, 상기도 질환 또한 비강 내 스테로이드가 잘 전달되어도 조절되기 어렵다. 그래서 천식 조절의 어려움이 중증 CRS의 또 하나의 일반적 지표가 된다. CRSsNP의 10-15%, CRSwNP의 최대 48%가 천식을 앓고 있거나 발병한다. 천식을 동시에 잘 치료하면 CRS의 조절이 향상되고 그 반대도 마찬가지라는 것은 잘 알려져 있다. 천식 조절을 위해 많은 양의 전신적 스테로이드가 필요한 경우 CRS도 조절하기 어렵다는 것이다.

아스피린 악화성 호흡기 질환은 천식, 아스피린 과민증, CRSwNP의 3가지를 가지고 있는 임상적 질환이다. 이는 천식 환자들 사이에서 10-20%의 유병률을 가지며 이들 중 대부분은 중증 천식과 광범위한 CRS를 동반한다. 보통 스테로이드에 대한 내성이 더 크며 중증 부비동 증상을 조절하기 위해 광범위한 부비동 수술을 필요로 한다. 골염(osteitis)은 만성 및 중증 부비동염의 특징이다. 이는 CRS으로 인한 뼈의 염증성 침윤과 관련이 있는 것으로 보인다. 그러나 원발성 CRS에서 골염보다 신생골형성 및 골 재형성이 더 잘 일어난다는 근거 문헌들도 있다.

4. 치료

1) 수술

ESS의 목표는 정상 점막은 보존하면서 비용종을 제거하며, 추후 국소적 치료의 전달을 용이하게 하기 위해 광범위하게 부비동 입구를 개방해주는 것이다. 조절되지 않은 CRS 환자에서 고려할 사항은 다음과 같다.

(1) 개구부 폐쇄의 교정

단순 부비동 개구 폐쇄가 수술 후 지속적인 CRS 증상을 거의 일으키지 않기 때문에 이는 난치성 CRS에 있어서 드문 원인으로 볼 수 있다. 비록 부비동 개구 폐쇄가 질병의 초기 발병에 중추적 소인이 될 수 있지만 미만성 점막 질환과 같은 내재적 점막 요인이 더 중요한 요인임을 시사한다.

(2) 점액 trapping과 재순환 문제의 교정

재순환은 상악동에서 흔히 볼 수 있는데, 자연공을 확인하고 개방해주지 못하여서 자연공과 개구부 사이에 점액이 재순환 된다. 부비동의 기능적 구획 내에서 부분적으로 시행한 수술은 점액 trapping을 유발한다. 반흔과 협착은 부비동 수술 후 치유되는 과정이나 구상돌기(uncinate process)와 사골포(ethmoid bulla) 상부 사이의 수술 후 반흔으로 전두동의 점액 trapping을 때때로 일으킨다.

(3) 부비동의 적절한 개방

부비동의 부적절한 개방의 요인으로 불완전한 전방 또는 후방 사골절제술에서 최대 74%, 불완전한 구상돌기 절제에서 최대 37%, 비제봉소(agger nasi cell)을 남기는 것에서 최대 49%로 보고되었다. Infraorbital ethmoid cell (Haller cell)을 놓치거나 접형동 대신 spheno-ethmoidal cell (Onodi cell)을 실수로 열어주는 경우도 있다. 이러한 모든 부비동의 개방을 적절하게 하지 못하면 국소 치료에 제한이 되며 이는 치료 실패로 이어질 수 있다. 전두동은 수술 시 실패하기 쉬운 부위이다. 전두동의 입구는 많은 환자에서 작으며 이는 적절한 세척이 이뤄지기 어렵게 한다. 내시경 Lothrop 수술 또는 Draf III는 frontal beak을 제거하여 큰 공동을 형성하여 전두동의 넓은 개구부를 얻을 수 있는 장점이 있다. 연구에 의하면 Draf III에서는 완전한 부비동의 세척이 50%이나 Draf IIa에서는 12.5%에 불과하다. 다른 연구에서는 일부 중비갑개를 제거하는 것이 내시경 점수 및 후각 기능을 증진시켰다고 보고하였다.

(4) 점막 재형성에 대한 문제의 교정

점막 재형성은 질환의 심각도가 더 중증이며 증상 개선을 위해 국소 스테로이드를 더 오랜 기간 사용해야 하는 것을 시사한다. 골염과 신생골형성 또한 유사하다. 이러한 점막 변화는 염증이 지속되면 부비동 내막의 해부학을 바꾸고 "sumps"의 형성 및 점액 trapping을 유발할 수 있다. 예를 들어 기능하지 않는 점막과 부비동 바닥에 있는 질환으로 인하여 상악동에 형성된 sump는 고용량의 세척으로도 제거되지 않는다. 이러한 경우 더 좋은 세척과 부비동 하부 병변의 제거를 위하여 내시경적 내측 상악절제술이 필요할 수 있다. 접형동에서는 더 좋은 세척을 위해 개구부를 하방으로 확장시킬 필요가 있다.

2) 전신적 스테로이드

만성 자가면역 질환의 조절과 같이 중증 CRS의 경우 장기간 저용량 스테로이드가 필요할 수 있다. 경구 스테로이드는 임상 효능이 입증되었으며 비강 분비물에서 IL-5와 ECP가 감소했다. 그러나, 전신적 스테로이드는 광범위한 조직에 영향을 미쳐 상당한 부작용을 일으킬 수 있다. 이러한 경우 환자의 증상 개선과 전신적 약제에 따른 위험에 대한 적절한 조절이 필요하다. 3개월 이상 장기간 스테로이드 사용을 시작하는 모든 환자는 체중, 키, 체질량 지수, 혈압 및 전체 혈구 수, 혈당 및 지질을 포함한 혈액 검사에 대한 기준값이 있어야 하며 지속적인 모니터링이 중요하다.

3) 생물학적 제제

적절한 약물치료, 수술적 치료에도 재발하는 CRS의 치료에서 단클론항체(monoclonal antibody)치료가 효과적인 증상 호전을 나타낸다는 논문들이 보고되고 있다. 이러한 생물학적 제제는 CRSwNP에서 면역 반응으로 과발현된 요소를 구체적으로 표적화하여, 일반적인 면역 억제 및 호르몬 장애로 인해 다양한 부작용을 유발할 수 있는 전신적 스테로이드의 필요성을 줄여준다. 하지만 내재형에 따른 분류가 항상 명확하게 되는 것이 아니다. Mixed-pattern 소견을 보이는 환자들이 명확한 type 2(혹은 non-type 2) 내재형보다 사이토카인이나 뮤신 분비가 더 많고 증상이 심한 패턴을 보인다. 또한 내재형을 분류하기 위해 어느 부위를 조직검사를 기준으로 해야 하는 것인지도 명확하지 않는 등 아직 CRS의 내재형에 대한 추가적인 연구들은 계속 이루어져야 한다. 다른 교란변수로는 서양인에서는 type 2 염증이 우세한 경우가 많은데 아시아인은 다양한 양상을 보인다는 것이다. 또한 고령의 환자에서는 type 1 염증이 젊은 사람보다 우세하며, 그 이 외에도 다양한 외인성 또는 내인성 인자들이 내재형에 영향을 미칠 수 있다.

Dupilumab, mepolizumab, omalizumab 같은 생물학적 제제는 지속적으로 효과가 보고되어 왔다. 하지만, dexpramipexole (anti-eosinophilic synthetic aminobenzothiazole)은 type 2 염증반응을 타겟으로 연구가 진행되었으나 비용종의 크기나 증상 개선에 있어서는 효과가 제한적이었다. 또한 CRSwNP 환자들 중 어떤 환자들이 명확하게 생물학적제제의 효과를 볼 수 있냐는 문제가 있다. 예를 들어 천식과의 관계성에서는 CRS의 염증성 병인과 천식의 유사성들이 많이 보고되고 있지만, 천식에 승인된 5개의 생물학적제제(omalizumab, dupilumab, benralizumab, mepolizumab, reslizumab) 중에서 dupilumab과 omalizumab만 국내에서 CRS에서 적응증을 받은 상태이다.

이 외에도 생물학적제제 치료에 있어 다른 고려사항은 생물학적 치료의 잠재적 위험에 대한 정보가 제한된다는 것이다. 추가적으로 비용 효율성과 직접적인 관련이 있는 치료기간도 중요 고려사항이다. 그러므로 보존적인 관점에서, type 2 염증의 명확한 증거가 있거나 약물 중단으로 인해 재발이 발생하거나 내과적 및 외과적 치료에 효과가 없을 때 생물학적 제제의 치료를 고려할 수 있다.

References

- Alqudah M, Graham SM, Ballas ZK. High prevalence of humoral immunodeficiency patients with refractory chronic rhinosinusitis. Am J Rhinol Allergy 2010;24(6):409-12.

- Carr TF, Koterba AP, Chandra R, Grammer LC, Conley DB, Harris KE, *et al*. Characterization of specific antibody deficiency in adults with medically refractory chronic rhinosinusitis. Am J Rhinol Allergy 2011;25(4):241-4.

- Chee L, Graham SM, Carothers DG, Ballas ZK. Immune dysfunction in refractory sinusitis in a tertiary care setting. Laryngoscope 2001;111(2):233-5.

- Fokkens WJ, Lund VJ, Hopkins C, Hellings PW, Kern R, Reitsma S, *et al*. European Position Paper on Rhinosinusitis and Nasal Polyps 2020. Rhinology 2020;58(Suppl S29):1-464.

- Krumholz HM. Variations in health care, patient preferences, and high-quality decision making. JAMA 2013;310(2):151-2.

- Lopez-Chacon M, Mullol J, Pujols L. Clinical and biological markers of difficult-to-treat severe chronic rhinosinusitis. Curr Allergy Asthma Rep 2015;15(5):19.

- Mazza JM, Lin SY. Primary immunodeficiency and recalcitrant chronic sinusitis: a systematic review. Int Forum Allergy Rhinol 2016;6(10):1029-33.

- Rudmik L, Smith TL, Mace JC, Schlosser RJ, Hwang PH, Soler ZM. Productivity costs decrease after endoscopic sinus surgery for refractory chronic rhinosinusitis. Laryngoscope 2016;126(3):570-4.

- Rudmik L, Soler ZM, Smith TL, Mace JC, Schlosser RJ, DeConde AS. Effect of Continued Medical Therapy on Productivity Costs for Refractory Chronic Rhinosinusitis. JAMA Otolaryngol Head Neck Surg 2015;141(11):969-73.

- Sivasubramaniam R, Harvey RJ. How to Assess, Control, and Manage Uncontrolled CRS/Nasal Polyp Patients. Curr Allergy Asthma Rep 2017;17(9):58.

- Smith KA, Rudmik L. Medical therapy, refractory chronic rhinosinusitis, and productivity costs. Curr Opin Allergy Clin Immunol 2017;17(1):5-11.

- Smith TL, Litvack JR, Hwang PH, Loehrl TA, Mace JC, Fong KJ, *et al*. Determinants of outcomes of sinus surgery: a multi-institutional prospective cohort study. Otolaryngol Head Neck Surg 2010;142(1):55-63.

- Xu X, Reitsma S, Wang Y, Fokkens WJ. Highlights in the advances of chronic rhinosinusitis. Allergy 2021;76(11):3349–58.

개발위원회 가나다순

성명	소속 기관
모지훈 (위원장)	단국대학교병원
김대우	서울대학교 보라매병원
김도현	가톨릭대학교 서울성모병원
김상욱	경상대학교병원
김선태	가천대학교병원
김성완	경희대학교병원
김수환	가톨릭대학교 서울성모병원
김용민	충남대학교병원
김정수	경북대학교병원
김종승	전북대학교병원
김지희	울산대학교 서울아산병원
김창훈	연세대학교 세브란스병원
김태훈	고려대학교 안암병원
문수진	양산부산대학교병원
민진영	경희대학교병원
류광희	성균관대학교 삼성서울병원
박수경	세종충남대학교병원
신재민	고려대학교 구로병원
이기일	건양대학교병원
이동훈	전남대학교병원
임상철	전남대학교병원
유신혁	단국대학교병원
장용주	울산대학교 서울아산병원
조규섭	부산대학교병원
조성우	분당서울대학교병원
조현진	경상대학교병원
조형주	연세대학교 세브란스병원
정용기	성균관대학교 삼성서울병원
허성재	칠곡경북대학교병원

자문위원회

성명	소속 기관
김대우	서울대학교 보라매병원
김동영	서울대학교병원
김용민	충남대학교병원
김태훈	고려대학교 안암병원
박찬순	가톨릭대학교 성빈센트병원
배우용	동아대학교병원
심우섭	충북대학교병원
유명상	울산대학교 서울아산병원
이건희	강동경희대학교병원
조규섭	부산대학교병원
조석현	한양대학교병원
조형주	연세대학교 세브란스병원

만성 비부비동염 업데이트

2판 인쇄 | 2022년 9월 19일
2판 발행 | 2022년 9월 30일

지 은 이　대학비과학회
발 행 인　장주연
출 판 기 획　이성재
출 판 편 집　김수진
표지디자인　김재욱
편집디자인　이은하
일 러 스 트　유학영
발 행 처　군자출판사(주)
　　　　　등록 제4-139호(1991. 6. 24)
　　　　　본사 (10881) 파주출판단지 경기도 파주시 회동길 338(서패동 474-1)
　　　　　전화 (031) 943-1888　팩스 (031) 955-9545
　　　　　www.koonja.co.kr

ISBN　979-11-5955-902-0

정가　30,000원